LES YEUX BLEUS
CHEVEUX NOIRS

MARGUERITE DURAS

LES YEUX BLEUS
CHEVEUX NOIRS

LES ÉDITIONS DE MINUIT

L'ÉDITION ORIGINALE DE CET OUVRAGE A ÉTÉ TIRÉE A QUATRE
VINGT-DIX-NEUF EXEMPLAIRES SUR VELIN CHIFFON DE LANA
NUMÉROTÉS DE 1 A 99 PLUS SEPT EXEMPLAIRES HORS
COMMERCE NUMÉROTÉS DU H.-C.I. A H.-C. VII

PQ
2607
.U8245
Y4
1986

ISBN 2-7073-1067-0

A Yann Andréa

Une soirée d'été, dit l'acteur, serait au cœur de l'histoire.

Pas un souffle de vent. Et déjà, étalé devant la ville, baies et vitres ouvertes, entre la nuit rouge du couchant et la pénombre du parc, le hall de l'hôtel des Roches.

A l'intérieur, des femmes avec des enfants, elles parlent de la soirée d'été, c'est si rare, trois ou quatre fois dans la saison peut-être, et encore, pas chaque année, qu'il faut en profiter avant de mourir, parce qu'on ne sait pas si Dieu fera qu'on en ait encore à vivre d'aussi belles.

A l'extérieur, sur la terrasse de l'hôtel, les hommes. On les entend aussi clairement qu'elles, ces femmes du hall. Eux aussi parlent des étés passés sur les plages du Nord. Les voix sont partout pareillement légères et vides qui disent l'exceptionnelle beauté du soir d'été.

Parmi les gens qui regardent le spectacle du hall depuis la route derrière l'hôtel, un homme fait le pas. Il traverse le parc et s'approche d'une fenêtre ouverte.

C'est très peu de temps avant qu'il ne traverse la route, il s'agit de quelques secondes, qu'elle, la femme de l'histoire, arrive dans le hall. Elle est entrée par la porte qui donne sur le parc.

Lorsque l'homme atteint la fenêtre, elle est déjà là, à quelques mètres de lui parmi les autres femmes.

De là où il se tient, l'homme, l'eût-il voulu qu'il ne pourrait pas voir son visage. Elle est en effet tournée vers la porte du hall qui donne sur la plage.

Elle est jeune. Elle porte des tennis blancs. On voit son corps long et souple, la blancheur de sa peau dans cet été de soleil, ses cheveux noirs. On ne pourrait voir son visage qu'à contre-jour, d'une fenêtre qui donnerait sur la mer. Elle est en short blanc. Autour des reins, une écharpe de soie noire, négligemment nouée. Dans les cheveux, un bandeau bleu sombre qui devrait faire présager d'un bleu des yeux qu'on ne peut pas voir.

On appelle tout à coup dans l'hôtel. On ne sait pas qui.

On crie un nom d'une sonorité insolite, troublante, faite d'une voyelle pleurée et prolongée d'un *a* de l'Orient et de son tremblement entre les parois vitreuses de consonnes méconnaissables, d'un *t* par exemple ou d'un *l*.

La voix qui crie est si claire et si haute que les gens s'arrêtent de parler et attendent comme une explication qui ne viendra pas.

Peu après le cri, par cette porte que la femme regarde, celle des étages de l'hôtel, un jeune étranger vient d'entrer dans le hall. Un jeune étranger aux yeux bleus cheveux noirs.

Le jeune étranger rejoint la jeune femme. Comme elle, il est jeune. Il est grand comme elle, comme elle il est en blanc. Il s'arrête. C'était elle qu'il avait perdue. La lumière réverbérée de la terrasse fait que ses yeux sont effrayants d'être bleus. Quand il s'approche d'elle, on s'aperçoit qu'il est plein de la joie de l'avoir retrouvée, et dans le désespoir d'avoir encore à la perdre. Il a le teint blanc des amants. Les cheveux noirs. Il pleure.

On ne sait pas qui a crié ce mot qu'on ne connaissait pas sauf en ceci qu'on croyait avoir entendu qu'il venait des ténèbres de l'hôtel, des couloirs, des chambres.

Dans le parc, dès l'apparition du jeune étranger, l'homme s'est rapproché de la fenêtre du hall sans s'en rendre compte. Ses mains sont accrochées au bord de cette fenêtre, elles sont comme privées de vie, décomposées par l'effort de regarder, l'émotion de voir.

D'un geste, la jeune femme désigne au jeune étranger la direction de la plage, elle l'invite à la suivre, elle prend sa main, à peine résiste-t-il, ils se détournent tous les deux de la fenêtre du hall et ils s'éloignent du côté qu'elle a désigné, vers le couchant.
Ils sortent par la porte qui donne sur la mer.

L'homme reste derrière la fenêtre ouverte. Il attend. Il reste là longtemps, jusqu'au départ des gens, l'arrivée de la nuit.

12

Il quitte ensuite le parc en passant par la plage, il titube comme un homme ivre, il crie, il pleure comme les gens désespérés dans le cinéma triste.

C'est un homme élégant, mince et grand. Dans le désastre qu'il vit en ce moment reste le regard noyé dans la simplicité des larmes et l'appareil trop particulier de vêtements trop chers, trop beaux.

La présence de cet homme solitaire dans la pénombre de ce parc a fait tout à coup le paysage s'assombrir et les voix des femmes du hall diminuer d'intensité jusqu'à leur totale extinction.

Tard dans la nuit qui suit cette soirée, une fois la beauté du jour aussi violemment disparue que dans un revers du destin, ils se rencontrent.

Lorsqu'il entre dans ce café au bord de la mer, elle est déjà là avec des gens.

Il ne la reconnaît pas. Il ne pourrait la reconnaître que si elle était arrivée dans ce café en compagnie du jeune étranger aux yeux bleus cheveux noirs. L'absence de celui-ci fait qu'elle reste inconnue de lui.

Il s'assied à une table. Davantage encore que lui elle ne l'a jamais vu.

Elle le regarde. C'est inévitable qu'on le fasse. Il est seul et beau et exténué d'être seul, aussi seul et beau que n'importe qui au moment de mourir. Il pleure.

Pour elle il est aussi inconnu que s'il n'était pas né.

Elle part des gens avec qui elle est. Elle va à la table de celui-ci qui vient d'entrer et qui pleure. Elle s'assied face à lui. Elle le regarde.

Lui ne voit rien d'elle. Ni que ses mains sont inertes sur la table. Ni le sourire défait. Ni qu'elle tremble. Qu'elle a froid.

Elle ne l'a jamais vu encore dans les rues de la ville. Elle lui demande ce qu'il a. Il dit qu'il n'a rien. Rien. De ne pas s'inquiéter. La douceur de la voix qui tout à coup déchire l'âme et ferait croire que.

Il ne peut pas s'empêcher de pleurer.

Elle lui dit : Je voudrais vous empêcher de pleurer. Elle pleure. Il ne veut rien vraiment. Il ne l'entend pas.

Elle lui demande s'il veut mourir, si c'est ça qu'il a, l'envie de mourir, elle pourrait l'aider peut-être. Elle voudrait qu'il parle encore. Il dit que non, rien, de ne pas faire attention. Elle ne peut pas faire autrement, elle lui parle.

— Vous êtes là pour ne pas rentrer chez vous.

— C'est ça.

— Chez vous, vous êtes seul.

Seul, oui. Il cherche quoi dire. Il lui demande où elle habite. Elle habite un hôtel qui est dans une de ces rues qui donnent sur la plage.

Il n'entend pas. Il n'a pas entendu. Il cesse de pleurer. Il dit qu'il est en proie à une grande peine parce qu'il a perdu la trace de quelqu'un qu'il aurait voulu revoir. Il ajoute qu'il est enclin à souffrir souvent de ce genre de choses, de ces chagrins mortels. Il lui dit. : Restez avec moi.

Elle reste. Il est un peu gêné semble-t-il par le silence. Il lui demande, il se croit obligé de parler, si elle aime l'opéra. Elle dit qu'elle n'aime pas beaucoup l'opéra mais la Callas, si, beaucoup. Comment ne pas l'aimer ? Elle parle aussi lentement que si elle avait perdu la mémoire. Elle dit qu'elle oublie, qu'il y a aussi Verdi et puis aussi Monteverdi. Vous avez remarqué, c'est ceux-là qu'on aime lorsqu'on n'aime pas beaucoup l'opéra — elle ajoute — lorsqu'on n'aime plus rien.

Il a entendu. Il va encore pleurer. Ses lèvres tremblent. Les noms de Verdi et de Monteverdi qui les font pleurer tous les deux.

Elle dit qu'elle aussi elle traîne le soir dans les cafés lorsque les soirées sont si longues et si chaudes. Quand toute la ville est dehors on ne peut pas rester dans une chambre. Parce qu'elle est seule elle aussi ? Oui.

Il pleure. C'est sans fin. C'est bien ça, pleurer. Il ne parle plus de rien. Ils ne parlent plus ni l'un ni l'autre.

Jusqu'à la fermeture du café ils sont là.

Il est face à la mer et elle, de l'autre côté de la table, devant lui. Pendant deux heures elle le regarde sans le voir. De temps à autre ils se souviennent, ils se sourient à travers les larmes. Puis de nouveau ils oublient.

Il lui demande si elle est une prostituée. Elle ne s'étonne pas, elle ne rit pas non plus. Elle dit :

— En quelque sorte, mais je ne fais pas payer.

Il pensait aussi qu'elle faisait partie du personnel du café. Non.

Elle joue avec une clé pour ne pas le regarder.

Elle dit : Je suis une comédienne, vous me connaissez. Il ne s'excuse pas de ne pas la connaître, il ne dit rien. C'est un homme qui ne

16

croit à plus rien de ce qu'on dit. Il doit penser qu'elle le découvre.

Le café avait fermé. Ils s'étaient retrouvés dehors. Il avait regardé le ciel au ras de la mer. A l'horizon, il restait encore des traces du couchant. Il avait parlé de l'été, de cette soirée d'une exceptionnelle douceur. Elle n'avait pas eu l'air de savoir de quoi il s'agissait. Elle lui avait dit : Ils ferment parce que nous pleurons.

Elle l'emmène dans un bar plus avant dans les terres, sur une route nationale. Et là ils restent jusqu'au jour venu. C'est là qu'il lui dit qu'il est dans un moment difficile. Elle dit : A votre dernière heure. Elle ne sourit pas. Il dit que oui, que c'est ça, qu'il l'avait cru, qu'il le croit encore. Il sourit d'un sourire forcé. Il lui dit encore qu'il avait cherché dans la ville quelqu'un qu'il voulait revoir, que c'est pour cette raison qu'il pleurait, quelqu'un qu'il ne connaissait pas, qu'il avait vu par hasard ce soir même et qui était celui qu'il attendait depuis toujours et qu'il voulait revoir coûte que coûte même au prix de sa vie. Que c'était ainsi qu'il était.

Elle dit : Quelle coïncidence. Elle ajoute :

— C'est pourquoi je vous ai abordé, il me semble, à cause de ce désespoir.

Elle sourit, confuse de se servir de ce mot. Il ne comprend pas. Et pour la première fois il la regarde. Il dit : Vous pleurez.

Il la regarde mieux. Il dit :

— Votre peau est tellement blanche, on dirait que vous venez d'arriver au bord de la mer.

Elle dit que c'est sa peau qui ne prend pas le soleil, que ça existe — elle est pour dire quelque chose d'autre qu'elle ne dit pas.

Il la regarde avec beaucoup d'attention, il oublie même de la voir pour mieux se souvenir. Il dit :

— C'est curieux, c'est comme si je vous avais déjà rencontrée.

Elle réfléchit, elle le regarde à son tour, elle cherche où et quand ç'aurait été possible. Elle dit :

— Non. Je ne vous ai jamais vu avant cette nuit.

Il revient à la peau blanche et de telle façon que la peau blanche pourrait être un prétexte pour aller chercher le pourquoi des larmes. Mais non. Il dit :

— C'est toujours un peu... ça effraie toujours

un peu, des yeux aussi bleus que vos yeux...
mais peut-être est-ce parce que vos cheveux sont
si noirs...

Elle doit avoir l'habitude qu'on lui parle de
ses yeux. Elle répond :

— Les cheveux noirs et les cheveux blonds
font un bleu différent des yeux, comme si ça
venait de la chevelure, la couleur des yeux. Les
cheveux noirs font les yeux d'un bleu indigo, un
peu tragique aussi, c'est vrai, tandis que les
cheveux blonds font des yeux bleus plus jaunes,
plus gris, qui ne font pas peur.

Elle dit sans doute ce qu'elle a évité de dire un
moment avant :

— J'ai rencontré quelqu'un qui avait cette
sorte de bleu dans les yeux, on ne percevait pas
le centre du regard, d'où ça venait, comme si le
bleu tout entier regardait.

Il la voit tout à coup. Il voit qu'elle décrit ses
propres yeux.

Elle pleure, c'est arrivé brutalement, des sanglots trop forts, qui se bousculent, qu'elle n'a pas
la force de pleurer.

Elle dit :

— Excusez-moi, c'est comme si j'avais com-
mis un crime, je voudrais mourir.

19

Il a peur qu'elle le quitte elle aussi, qu'elle disparaisse dans la ville. Mais non, elle pleure devant lui, ses yeux dévoilés noyés dans les larmes. Des yeux qui la font nue.

Il prend ses mains, il les met contre son visage.

Il lui demande si ce sont les yeux bleus qui la font pleurer.

Elle dit que c'est ça, oui, il se trouve que c'est ça, qu'on peut le dire ainsi.

Elle le laisse faire avec les mains.

Il demande quand c'était.

Aujourd'hui.

Il embrasse ses mains comme il le ferait avec son visage, sa bouche.

Il dit qu'elle a l'odeur légère et douce de la fumée.

Elle lui donne sa bouche à baiser.

Elle lui dit qu'il l'embrasse, lui, cet inconnu, elle dit : Vous embrassez son corps nu, sa bouche, toute sa peau, ses yeux.

Ils pleurent jusqu'au matin le chagrin mortel de la nuit d'été.

Le noir serait fait dans la salle, la pièce commencerait.

La scène, dirait l'acteur. Elle serait une manière de salle de réception, sévèrement meublée de meubles anglais, confortables, très luxueux, en acajou sombre. Il y aurait des chaises, des tables, quelques fauteuils. Sur les tables il y aurait des lampes, plusieurs exemplaires du même livre, des cendriers, des cigarettes, des verres, des carafes d'eau. Sur chaque table il y aurait un bouquet composé de deux ou trois roses. Il en serait comme d'un lieu laissé mais à l'instant, funèbre.

Petit à petit, une odeur se répandrait, elle aurait été à l'origine celle qui est écrite ici, de l'encens et de la rose, et elle serait maintenant devenue celle inodore de la poussière du sable. Beaucoup de temps serait supposé être passé en effet depuis l'origine de l'odeur.

La description du décor, de l'odeur sexuelle, celle des meubles, de l'acajou sombre, devrait être lue par les acteurs à

21

égalité de ton avec le récit de l'histoire. Même si, au hasard des théâtres différents où la pièce serait représentée, les éléments de ce décor ne coïncidaient pas avec l'énoncé qui en est fait ici, celui-ci resterait inchangé. Dans ce cas, ce serait aux acteurs de faire que l'odeur, les costumes, les couleurs se plient à l'écrit, à la valeur des mots, à leur forme.

Il s'agirait toujours de ce lieu funèbre, de la poussière du sable, de l'acajou sombre.

Elle dormirait, dit l'acteur. Elle aurait l'air de le faire, de dormir. Elle est au centre de la chambre vide, sur les draps blancs étalés à même le sol.

Il est assis près d'elle. Il la regarde par intermittence.

Il n'y a pas de chaises non plus dans cette chambre. Il a dû apporter les draps et puis ensuite, une à une, porte après porte, fermer les autres pièces de la maison. Cette chambre-ci donne sur la mer et la plage. Il n'y a pas de jardin.

Il a laissé là le lustre de lumière jaune.

Il ne doit pas clairement savoir le pourquoi de ces choses qu'il a faites avec les draps, les portes, la lumière.

Elle dort.

Il ne la connaît pas. Il regarde le sommeil, les mains ouvertes, le visage encore étranger, les seins, la beauté, les yeux fermés. S'il avait laissé ouvertes les portes des autres chambres, elle serait sans doute allée voir. C'est ce qu'il a dû se dire.

Il regarde les jambes qui se reposent, lisses comme le sont les bras, les seins. La respiration est de même, claire, longue. Et sous la peau de ses tempes calmement le flux du sang qui bat, ralenti par le sommeil.

Sauf cette lumière centrale de couleur jaune qui tombe du lustre, la chambre est sombre, ronde, on dirait, close, sans fissure aucune autour du corps.

Elle est une femme.

Elle dort. Elle a l'air de le faire. On ne sait pas. L'air d'être tout entière partie dans le sommeil, avec les yeux, les mains, l'esprit. Le corps n'est pas tout à fait droit, il verse un peu sur le côté, vers l'homme. Les formes sont souples, leurs enchaînements sont invisibles. Des mots viennent à la bouche, ceux de la dislocation des formes sous la peau qui recouvre.

La bouche est légèrement entrouverte, les lèvres sont nues, gercées par le vent, elle a marché sans doute pour venir et il fait déjà froid.

Que ce corps dorme ne signifie pas qu'il soit sans vie aucune. C'est le contraire. Et à ce point qu'à travers le sommeil il sait quand quelqu'un regarde. Il suffit que l'homme pénètre dans la zone de lumière pour qu'un mouvement brusque le traverse, que les yeux s'ouvrent et qu'ils observent, inquiets, jusqu'à ce qu'ils le reconnaissent.

C'était sur la route nationale au lever du jour lorsque le deuxième café avait fermé qu'il lui avait dit qu'il cherchait une jeune femme pour dormir auprès de lui pendant quelque temps, qu'il avait peur de la folie. Qu'il voulait payer cette femme, c'était son idée, qu'il fallait payer les femmes pour qu'elles empêchent les hommes de mourir, de devenir fous. Il avait pleuré encore, tout exténué de fatigue qu'il était. L'été lui faisait peur. Leur solitude dans l'été, quand les stations balnéaires étaient pleines de couples, de femmes et d'enfants, quand ils étaient moqués partout, dans les variétés, les casinos, les rues.

Dans la terrible lumière du jour, elle le voit pour la première fois.

Il est élégant. Dans le désastre qu'il vit en ce moment même, reste l'appareil des habits d'été, trop chers, trop beaux, cette longueur du corps, ce regard noyé dans la simplicité des larmes qui fait oublier les habits. Ses mains sont très blanches, sa peau. Il est mince, grand. Comme elle, il doit avoir été rompu aux sports des écoles très tôt dans sa vie. Il pleure. Autour de ses yeux des restes de khôl bleu.

Elle lui dit qu'une femme payée reviendrait au même que s'il n'y avait personne. Il dit qu'il est sûr de la vouloir ainsi, sans amour pour lui, rien que le corps.

Il n'avait pas voulu qu'elle vienne tout de suite. Dans trois jours il avait dit, le temps de ranger.

Il l'avait accueillie prudemment, avec une certaine froideur, ses mains étaient glacées dans l'été. Il tremblait. Il était habillé de blanc comme le jeune étranger aux yeux bleus cheveux noirs.

Il avait demandé de ne savoir ni son nom ni son prénom. Lui n'avait rien dit et elle n'avait rien demandé. Il lui avait donné l'adresse. Elle connaissait l'endroit, la maison, elle connaissait bien la ville.

Le souvenir est confus, pénible. C'était une demande humiliante. Mais qu'il fallait quand même faire, des fois qu'elle se serait installée. Il se souvient d'elle à l'intérieur du café, de cette autre femme, de la douceur corporelle de la voix, de la coulée de larmes sur le visage blanc. Des yeux, bleus à s'y méprendre. Des mains.

Elle dort. A côté d'elle, sur le sol, il y a un carré de soie noire. Il voudrait lui demander à quoi cela peut lui servir, puis il y renonce, il se dit que ce doit être en général pour la nuit se protéger les yeux de la lumière et, ici, de cette lumière jaune qui tombe du lustre réverbérée par les draps blancs.

Elle a posé ses affaires contre le mur. Il y a des tennis blancs, des vêtements de coton également blancs, un bandeau bleu sombre.

Elle se réveille. Elle ne comprend pas tout de suite ce qui se passe. Il est assis sur le sol, il la regarde, légèrement penché sur son visage. Elle a un geste de défense, mais à peine, de se recouvrir les yeux avec son bras. Il le voit. Il dit : Je vous regarde, rien d'autre, n'ayez pas peur. Elle dit que c'est de la surprise, pas de la peur.

Ils se sourient. Il dit : Je n'ai pas l'habitude de vous. Il est fardé. Il est en noir.

Dans les yeux, avec le sourire, mêlées, il y a la tristesse désespérée, les larmes de la soirée d'été.

Elle ne demande rien. Il dit :

— Je ne peux pas toucher votre corps. Je ne peux rien vous dire d'autre, je ne peux pas, c'est plus fort que moi, que ma volonté.

Elle dit qu'elle l'a su dès qu'elle l'avait vu dans ce café au bord de la mer.

Elle dit qu'elle, elle est dans le désir de cet homme aux yeux bleus dont elle lui a parlé dans ce café, rivée au désir de lui seul, que ça ne fait rien, au contraire.

Il dit qu'il veut essayer à tout hasard de prendre le corps avec les mains, sans regarder peut-être, parce qu'ici le regard n'a que faire. Il le fait, il pose en aveugle ses mains sur le corps, il prend les seins, les hanches, dans leur fraîcheur de peau nue, il fait basculer le tout dans un mouvement violent et, dans une sorte de poussée, de gifle plate, il le renverse, le met face contre le sol. Il s'arrête, surpris par sa propre brutalité. Il retire ses mains. Il ne bouge plus. Il dit : Ce n'est pas possible.

Elle reste elle aussi comme elle est tombée, face contre le sol. Quand elle se redresse, il est toujours là, fixe, au-dessus d'elle. Il ne pleure pas. Il ne comprend pas. Ils se regardent.

Elle demande :

— Jamais cela ne vous est arrivé ?

— Jamais.

Elle ne lui demande pas s'il sait d'où vient cette difficulté dans sa vie.

— Jamais avec une femme, vous voulez dire.

— C'est ça. Jamais.

La douceur de la voix est définitive.

Elle répète, elle sourit :

— Jamais de désir pour moi.

— Jamais. Sauf — il hésite — dans ce café, quand vous avez parlé de cet homme que vous aviez aimé, de ses yeux, le temps de le dire je vous ai désirée.

Elle étale la soie noire sur son visage. Elle tremble. Il dit qu'il s'excuse. Elle dit que ce n'est rien, que c'est ce mot, prononcé ici, dans cette chambre. Elle dit aussi que l'amour peut aussi bien venir de cette façon, à écouter dire de quelqu'un d'inconnu comment étaient ses yeux. Elle dit :

— Jamais autrement ? Même pas le temps d'en douter ?

— Jamais.

— Comment en être sûr à ce point ?

— Pourquoi vouloir à ce point que je n'en sois pas sûr ?

Elle le regarde comme elle regarderait son image en son absence. Elle dit :

— Parce que on ne peut pas faire autrement.

Elle le regarde encore avec cette fixité. Elle dit :

— On ne peut pas le comprendre.

Elle lui demande pourquoi il va chercher ailleurs que là où il est du moment qu'il est sûr d'en rester là jusqu'à sa mort. Il ne sait pas très bien pourquoi. Il cherche.

— Peut-être pour avoir une histoire. Pour ça non plus on ne peut pas faire autrement. Même pour rien.

— C'est vrai, on oublie toujours. Une histoire comme : écrire une histoire. Avec, au centre, cette différence qui fait le livre.

C'est long avant qu'elle parle encore. Elle est ailleurs, longtemps, seule. Sans lui, il le sait. Elle répète :

— Ainsi, vous n'avez jamais eu de désir pour une femme.

— Jamais. Mais il m'arrive de comprendre qu'on puisse en avoir — il sourit —, qu'on puisse se tromper.

Une émotion se produit. Elle ne doit pas bien savoir ce qu'elle est, si c'est une peur qui revient, cette fois plus forte qu'elle, ou bien si c'est l'expression d'une attente qu'elle ignorait être en train de vivre. Elle regarde la chambre, elle dit :

— C'est drôle, c'est comme si j'étais arrivée quelque part. Que j'avais attendu ça depuis toujours.

Il lui demande pourquoi elle a accepté de venir dans la chambre. Elle dit que toutes les femmes auraient accepté sans savoir pourquoi cette union blanche et désespérée. Qu'elle est comme ces femmes, qu'elle ne sait pas pourquoi. Elle demande : Est-ce qu'il comprend quelque chose ?

Il dit qu'il n'a jamais rêvé d'une femme, qu'il n'a jamais pensé à une femme comme à un objet qu'on pouvait aimer.

Elle dit :

— C'est une chose terrible. Jamais je n'aurais cru avant de vous connaître.

Il demande si c'est aussi terrible que de ne pas croire en Dieu.

Elle le croit. C'est le fait de l'homme indéfiniment présent à lui-même qui effraie. Mais ce doit être là qu'on est le mieux, le plus à l'aise pour vivre le désespoir, avec ces hommes sans descendance qui ignorent être désespérés.

Il lui demande si elle veut partir de la maison. Elle lui sourit, elle dit que non, que ses cours n'ont pas repris à l'université, qu'elle a du temps pour rester là. Je vous remercie, elle dit, mais non. Et puis, l'argent, je n'y suis pas indifférente.

Elle arrive, elle prend les draps, elle les emporte dans la partie sombre de la chambre. Elle s'enroule tout entière dedans et elle se couche là, contre le mur, sur le sol. Toujours exténuée de fatigue.

Il la regarde attentivement faire les mêmes gestes, la même erreur. Il la laisse se tromper. C'est ensuite, plus tard, quand elle est endormie, qu'il le lui dit.

Il va à elle, il déroule les draps, il la trouve chaude à l'intérieur, à dormir. Alors seulement il lui dit qu'il faut venir dans la lumière centrale de la chambre. Peut-être croit-elle que ce qu'il veut c'est que d'abord elle se trompe. Pour avoir ensuite à lui rappeler ce qu'elle doit faire.

Elle se réveille. Elle le regarde. Elle demande : Qui êtes-vous ? Il dit : Souvenez-vous.

Elle se souvient. Elle dit : Vous êtes celui qui était en train de mourir dans ce café au bord de la mer. Il lui dit de nouveau qu'elle doit aller sous la lumière, que c'était dans le contrat. Elle reste interdite. Elle, elle croyait que c'était mieux pour lui de seulement la savoir là sans avoir à la voir. Il ne répond pas. Elle le fait, elle va sous la lumière.

Plusieurs fois de suite elle ira néanmoins dormir contre le mur, enveloppée dans les draps. Et chaque fois il la ramènera dans la lumière centrale. Elle le laisse la ramener. Elle fait ce qu'il dit, elle sort des draps et elle se couche sous la lumière.

Jamais il ne saura si elle oublie vraiment ou si c'est une résistance qu'elle lui oppose, une limite à son fait pour les jours à venir dont ils ne savent encore rien de ce qu'ils seront.

C'est souvent qu'elle se réveillera désorientée, inquiète. Ce qu'elle demande chaque fois, c'est quelle est cette maison. Lui, il ne répond pas à la question. Il dit que c'est la nuit, avant l'hiver, que c'est encore l'automne.

Elle demande : Qu'est-ce qu'on entend ?

Il dit : La mer, là, derrière le mur de la chambre. Et moi je suis celui que vous avez trouvé un soir de cet été dans ce café au bord de la mer. Et puis celui qui a donné l'argent.

Elle sait mais elle se souvient mal de pourquoi elle est là.

Elle le regarde, elle dit : Vous êtes celui qui

était désespéré. Vous ne trouvez pas qu'on se souvient mal ? Lui, tout à coup, il trouve aussi qu'on se souvient mal, que c'est à peine si on se souvient. Désespéré pourquoi, au fait ? Ils se surprennent tout à coup à se regarder l'un l'autre. Et à tout à coup se voir. Ils se voient jusqu'à la suspension du mot sur la page, jusqu'à ce coup dans les yeux qui fuient et se ferment.

Elle veut entendre comment il aimait cet amant perdu. Il dit : Au-delà de ses forces, au-delà de la vie. Elle veut entendre encore. Il redit.

Elle recouvre son visage de la soie noire, il s'allonge près d'elle. Rien de leurs corps ne se touche. Leur immobilité est commune. Elle répète avec sa voix à lui : Au-delà de ses forces, au-delà de la vie.

Ça arrive brutalement, avec la même voix, à la même lenteur. Il dit :

— Il m'a regardé. Il a découvert ma présence derrière la fenêtre du hall et à plusieurs reprises il m'a regardé.

Elle est sous la lumière jaune assise. Les yeux

sur lui, elle écoute. Elle ne sait pas de quoi il parle, du tout. Il continue :

— Il a rejoint une femme, cette femme lui a fait un signe de la main, de le suivre. C'est là que j'ai vu qu'il ne voulait pas quitter le hall. Elle lui a pris le bras et elle l'a emmené. Jamais un homme n'aurait fait ça.

La voix a changé. Sa lenteur a disparu. Ce n'est plus le même homme qui parle. Il crie, il lui dit qu'il ne supporte pas qu'elle le regarde comme elle le fait. Elle ne le regarde plus. Il crie, il ne veut pas qu'elle s'allonge, il veut qu'elle reste debout. Elle ne sortira que lorsqu'elle aura entendu l'histoire. Il continue l'histoire.

Lui, il n'a pas vu le visage de cette femme qu'il avait rejointe, elle était tournée vers le jeune étranger, elle, elle ne savait pas du tout que quelqu'un était là à les regarder. Elle portait une robe claire, oui c'est ça, blanche.

Il lui demande si elle écoute. Elle écoute, qu'il se rassure.

Il continue l'histoire :

— Elle l'a appelé justement parce qu'il me regardait avec cette insistance. Elle a dû crier pour arriver à faire qu'il se détourne de moi. Tout à coup nous avons été séparés. Ils ont disparu tous les deux par la porte du hall qui donne sur la plage.

Il s'empêche de pleurer. Il pleure.

Il dit :

— Je suis allé le chercher sur la plage, je ne savais plus ce que je faisais. Puis je suis revenu dans le parc. J'ai attendu jusqu'à l'arrivée de la nuit. Je suis parti quand on a éteint le hall. Je suis allé à ce café au bord de la mer. D'habitude nos histoires sont courtes, je n'ai jamais connu ça. L'image est là — il montre sa tête, son cœur —, fixe. Je me suis enfermé avec vous dans cette maison pour ne pas l'oublier. Maintenant vous savez la vérité.

Elle dit : C'est terrible, quelle histoire.

Il parle de sa beauté. Les yeux fermés, il peut revoir encore l'image dans sa perfection. Il revoit la lumière rouge du couchant et ses yeux effrayants d'être bleus dans cette lumière. Il revoit le teint blanc des amants. Les cheveux noirs.

Quelqu'un avait crié à un certain moment, mais à ce moment-là, du cri, il ne l'avait pas encore vu. Il ne sait donc pas si c'est lui qui a crié. Il n'est même pas sûr que ce soit un homme qui ait crié. Il était occupé à regarder les gens dans l'assemblée du hall. Et tout à coup il y avait eu ce cri. Non, à y repenser, ce cri ne venait pas du hall mais de beaucoup plus loin, il était chargé d'échos de toutes sortes, de passé, de désir. Ça devait être un étranger qui avait crié, un jeune, pour s'amuser et peut-être pour faire peur. Puis la femme l'avait emmené. Il avait fouillé la ville et la plage, il ne l'avait pas retrouvé, tout comme si cette femme l'avait emmené loin.

Elle lui demande encore : Pourquoi l'argent ?
Il dit : Pour payer. Pour disposer de votre temps comme moi j'en ai décidé. Pour vous renvoyer quand moi je le veux. Et savoir à l'avance que vous obéirez. Pour écouter mes histoires, celles que j'invente et celles qui sont vraies. Elle dit : Pour aussi dormir sur le sexe étale. Elle finit la phrase du livre : Et pleurer là aussi quelquefois.

Il demande à quoi sert la soie noire. Elle dit :
— La soie noire, comme le sac noir, où mettre la tête des condamnés à mort.

L'écoute de la lecture du livre, dit l'acteur, devrait toujours être égale. Dès qu'entre les silences la lecture du texte se produirait, les acteurs devraient être suspendus à elle et, au souffle près, en être immobilisés, comme si à travers la simplicité des mots, par paliers successifs, il y avait à comprendre toujours davantage.

Les acteurs regarderaient l'homme de l'histoire, quelquefois ils regarderaient le public. Quelquefois aussi ils regarderaient la femme de l'histoire, mais cela ne se produirait jamais par hasard.

Il faudrait que soit perçu ce non-regard des acteurs sur la femme de l'histoire.

Des événements qui seraient survenus entre l'homme et la femme, rien ne serait montré, rien ne serait joué. La lecture du livre se proposerait donc comme le théâtre de l'histoire.

Aucune émotion particulière ne devrait être marquée à tel ou tel passage de la lecture. Aucun geste non plus. Simplement, l'émotion devant le dévoilement de la parole.

Les hommes seraient en blanc. La femme, nue. L'idée qu'elle soit revêtue de la tenue noire a été abandonnée.

Elle lui dit qu'elle fait partie des gens qui passent le long de la plage la nuit. Il a un léger mouvement de recul, comme s'il mettait en doute ce qu'elle lui apprend. Et puis il lui dit qu'il la croit. Il demande : En dehors des passages, de cet amour, qui est-elle ? En dehors des passages, en dehors de sa présence dans la chambre, qui ?

Elle met la soie noire sur le visage. Elle dit : Je suis un écrivain. Il ne sait pas si elle rit. Il ne demande pas.

Ils se taisent, ils s'écoutent dans une même distraction. Ils demandent sans attendre de réponse. Ils parlent seuls. Il attend qu'elle parle. Il aime sa voix, il le lui dit, il n'écoute pas toujours quand on parle, mais elle, si, il écoute toujours sa voix. C'est sa voix qui a fait qu'il lui a demandé de venir dans la chambre.

Elle dit qu'un jour elle fera un livre sur la chambre, elle trouve que c'est un endroit comme par inadvertance, en principe inhabitable, infernal, une scène de théâtre fermée. Il dit qu'il a enlevé les meubles, les chaises, le lit, les objets personnels, parce qu'il se méfiait, il ne la connaissait pas, des fois qu'elle aurait volé. Il dit aussi que maintenant c'est le contraire, il a toujours peur qu'elle parte pendant qu'il dort. Avec elle enfermée avec lui dans cette chambre il n'est pas tout à fait séparé de lui, de cet amant aux yeux bleus cheveux noirs. Il croit que c'est dans cette chambre, avec cette lumière de théâtre, qu'il faut chercher le commencement de cet amour, depuis bien avant elle, depuis les étés de son enfance subis comme des punitions. Il ne s'explique pas.

Le silence de la chambre est profond, aucun bruit n'arrive plus ni des routes ni de la ville ni de la mer. La nuit est à son terme, partout limpide et noire, la lune a disparu. Ils ont peur. Il écoute, les yeux au sol, ce silence effrayant. Il dit que c'est l'heure de la mer étale, mais que déjà les eaux de la marée montante sont en train

40

de se regrouper, que l'événement est en cours, qu'il va se produire vite maintenant et qu'il passera inaperçu à cette heure-là de la nuit. Qu'il est toujours désolé de constater que des événements comme ceux-là n'aient jamais été vus.

Elle le regarde qui parle, les yeux grands ouverts et cachés. Il ne la voit pas, il se tient toujours les yeux baissés vers le sol. Elle lui dit de fermer les yeux, de se faire aveugle en quelque sorte et de se souvenir d'elle, de son visage.

Il le fait. Il ferme les yeux très fort et long-temps comme les enfants le font. Puis il cesse. Une nouvelle fois, il dit :

— Dès que je ferme les yeux, je vois quelqu'un d'autre que je ne connais pas.

Leurs yeux se fuient, se détournent. Elle dit : Je suis là devant vous et vous ne me voyez pas, ça fait peur. Il parle vite pour colmater la peur. Il dit que ça doit avoir trait aussi à cette heure-là de la nuit, à ce changement de la mer, que même les passages vont cesser, qu'ils vont être les seuls vivants de ce côté-là de la ville. Elle dit que non, que ce n'est pas ça.

C'est encore long avant qu'ils ne parlent de nouveau. Elle est devant lui. Elle a le visage nu, sans la soie noire. Il ne lève pas les yeux sur elle.

41

Ils restent ainsi sans bouger, longtemps. Et puis elle le quitte, elle quitte la lumière, elle va le long du mur. Il lui demande pour les passages sur la plage, de lui expliquer, il ne sait rien, il y a peu de temps qu'il habite la ville. Elle dit que ce sont des gens qui se cachent pour ensemble se pénétrer et jouir sans pour autant se connaître ni s'aimer, sans presque se voir. Ils viennent de la ville et de plusieurs autres stations balnéaires. Il demande s'il y a des femmes. Elle dit oui, des enfants aussi, des chiens, des fous.

Il dit :
— Le soleil passe au ras de la mer.
Une flaque de soleil est apparue sur le bas du mur de la chambre, elle vient de dessous la porte d'entrée, elle est grande comme une main, elle tremble sur la pierre du mur. La flaque vit à peine quelques secondes. Sa disparition est brutale, elle est arrachée du mur à sa propre vitesse, celle de la lumière. Il dit :
— Le soleil est passé, c'est arrivé et c'est fini comme dans les prisons.

Elle remet la soie noire sur son visage. Il ne sait

plus rien, ni du visage ni du regard. Elle pleure par à-coups légers. Elle dit : Ce n'est rien, c'est l'émotion. D'abord il doute du mot, il demande : L'émotion ? Puis il le dit pour le prononcer sur ses propres lèvres sans interrogation aucune, sans objet : L'émotion.

Elle a dû être prise par le sommeil beaucoup plus tard. Le soleil était haut dans le ciel qu'elle ne dormait pas encore. Il s'était endormi à son tour, et si profondément qu'il ne l'avait pas entendue sortir de la chambre. Elle n'était plus là à son réveil.

Il est assis près d'elle sans toucher le corps. Elle s'endort allongée dans la lumière. Il regarde la force à travers la minceur, les attaches des membres. Elle le laisse seul. Elle est très silencieuse. Elle est prête à chaque instant de la nuit aussi bien à rester dans la chambre qu'à en partir, chassée.

Il la réveille. Il lui demande de remettre ses vêtements et d'aller sous la lumière pour qu'il la regarde. Elle le fait. Elle va s'habiller dans le fond de la chambre, dans l'ombre du mur de la mer.

Puis elle revient sous la lumière. Elle reste debout devant lui qui la regarde.

Elle est jeune. Elle porte des tennis blancs. Autour de la taille, de façon négligée, une écharpe noire, nouée. Dans les cheveux noirs, un bandeau bleu sombre du même bleu incroyable que celui des prunelles bleues. Elle porte un short blanc.

Elle est là devant lui, il le sait bien, prête à le tuer parce qu'il l'a réveillée de la sorte et aussi bien prête à rester là debout devant lui toute la nuit. Il ne sait pas d'où leur vient cette faculté de subir tout ce qui se présente comme ordonné par Dieu.

Il lui demande si elle est toujours habillée comme elle est là. Elle dit que depuis qu'elle le connaît, oui.

— Ça avait l'air de vous plaire, alors j'ai mis les mêmes couleurs.

Il la regarde longtemps. Elle dit : Non, il ne l'a jamais vue avant ce soir-là, dans ce café au bord de la mer. Elle regrette.

Elle se déshabille. Elle s'allonge à sa place sous la lumière. Elle a un regard farouche qui pleure sans savoir, comme le sien à lui. Il trouve qu'ils se ressemblent. Il le lui dit. Elle trouve aussi, comme lui, qu'ils ont la même taille, des yeux de la même couleur bleue, et les cheveux noirs. Ils se sourient. Elle dit : Et, dans le regard, la tristesse d'un paysage de nuit.

Parfois c'est lui qui s'habille en pleine nuit. Il farde ses yeux, il danse. Il croit chaque fois qu'il ne l'a pas réveillée. Parfois il met son bandeau bleu, son écharpe noire.

Une nuit. Elle lui demande s'il pourrait le faire avec sa main, sans s'approcher d'elle pour autant, sans même regarder.

Il dit qu'il ne peut pas. Il ne peut rien faire de pareil avec une femme. Il ne peut pas arriver à dire l'effet que lui fait cette demande de sa part. S'il acceptait, il risquerait de ne plus vouloir la voir, jamais, et peut-être même de lui faire du mal. Il lui faudrait quitter la chambre, l'oublier. Elle dit que c'est le contraire, qu'elle ne peut pas l'oublier. Que du moment que rien ne se passe entre eux, la mémoire reste infernale de ce qui n'arrive pas.

Elle le fait elle-même avec sa propre main devant lui qui la regarde. Dans la jouissance elle appelle on dirait, une sorte de mot très bas, très sourd, très loin. Une sorte de nom peut-être, c'est sans aucun sens. Il ne reconnaît rien. Il la croit porteuse d'une clandestinité naturelle, sans mémoire, faite d'innocence, de disponibilité sans repères.

Il dit :

— Je voudrais que vous m'excusiez, je ne peux pas être autrement, c'est comme si le désir s'effaçait lorsque je m'approche de vous.

Elle dit qu'elle est aussi comme ça ces temps-ci.

Il dit qu'elle a dit un mot un moment avant, comme un mot étranger. Elle dit qu'elle appelait quelqu'un dans la détresse de jouir.

Il sourit, il lui dit :

— Je ne peux pas exiger de vous que vous me disiez tout de vous. Même avec de l'argent.

Elle a cette couleur d'yeux et de cheveux des amants qu'il désire : ce bleu-là des yeux lorsque les cheveux sont de ce noir. Et cette peau blanche que le soleil n'atteint pas. Parfois il y a des taches de rousseur, mais claires, décolorées, elles, par la lumière. Elle a aussi ce sommeil profond qui le délivre de sa présence.

La forme du visage est très belle, dessinée sous la soie noire.

Elle bouge. De nouveau hors des draps, elle s'étire et puis elle reste étirée, et, lorsqu'elle retombe, elle reste ainsi qu'elle est retombée, anéantie par cette aise qui vient parfois d'une infinie fatigue.

Il va à elle. Il lui demande de quoi elle se repose, quelle est cette fatigue. Sans répondre, sans même regarder, elle lève la main et elle caresse son visage au-dessus d'elle, ses lèvres, les abords de ses lèvres, là où elle voudrait embrasser ; le visage résiste, elle continue à caresser, les dents se serrent, le visage recule. Sa main retombe.

Il demande si c'est cette commande qu'il lui a faite de sa présence auprès de lui chaque nuit qu'elle appelle le sommeil. Elle hésite et elle dit que peut-être, oui, que c'est ainsi qu'elle a dû comprendre la chose, à savoir qu'il désirait l'avoir près de lui mais cachée par le sommeil, le visage annulé par la soie noire comme par un autre sentiment.

Elle est dans l'ombre, séparée de la lumière. Le lustre gainé de noir n'éclaire que l'endroit des corps. L'ombre du lustre fait les ombres différentes. Le bleu des yeux et le blanc des draps, le bleu du bandeau et la pâleur de la peau se sont recouverts de l'ombre de la chambre, celle du vert des plantes du fond des mers. Elle est là, mélangée avec les couleurs, et l'ombre, toujours triste de quelque mal qu'elle ne sait pas. Née comme ça. Avec ce bleu dans les yeux. Cette beauté.

Elle dit que ça l'arrange bien de vivre ce qu'elle vit en ce moment avec lui. Elle se demande ce qu'elle aurait fait à la place s'ils ne s'étaient pas rencontrés dans ce café. C'est ici, dans cette chambre, que s'est passé son véritable été, son expérience, l'expérience de la détestation de son sexe, et de son corps, et de sa vie. Il l'écoute dans la méfiance. Elle lui sourit, elle lui demande s'il veut qu'elle continue à lui parler. Il dit qu'elle n'a rien à lui apprendre, que tout ce qu'elle peut dire ce sont des idées reçues. Elle dit :

— Je ne vous parle pas de vous, je parle de

moi devant vous. La complication, elle vient de moi. Votre détestation de moi, elle ne me regarde pas. Elle vient de Dieu, il faut l'accepter comme telle, la respecter comme la nature, la mer. Ce n'est pas la peine de la traduire dans votre langage personnel.

Elle regarde la colère retenue dans la bouche serrée, dans les yeux. Elle rit. Elle se tait. La peur arrive dans la chambre parfois mais cette nuit-là davantage encore, ce n'est pas la peur de mourir, c'est celle d'être mise à mal, comme par une bête, d'être griffée, défigurée.

La salle serait dans le noir, dirait l'acteur. La pièce commencerait sans cesse. A chaque phrase, à chaque mot.

Les acteurs pourraient ne pas être nécessairement des acteurs de théâtre. Ils devraient toujours lire le livre à voix haute et claire, se tenir de toutes leurs forces exempts de toute mémoire de l'avoir jamais lu, dans la conviction de n'en connaître rien, et cela chaque soir.

Les deux héros de l'histoire occupe-raient la place centrale de la scène près de la rampe. Il ferait toujours une lumière indécise, sauf à cet endroit du lieu des héros où la lumière serait violente et égale. Autour, les formes vêtues de blanc qui tournent.

Il ne peut pas la laisser dormir. Elle est dans la maison, enfermée avec lui dans sa maison. C'est tandis qu'elle dort que cette idée lui vient parfois.

Elle a l'habitude déjà. Elle voit qu'il s'empêche de crier. Elle dit :

— Si vous voulez, je peux m'en aller. Revenir plus tard. Ou jamais. C'est mon contrat : rester là ou partir, c'est égal.

Elle se relève, elle plie les draps. Il pleure. Les sanglots ne sont pas retenus, ils sont sincères, comme au sortir d'un grand tort qu'on lui aurait fait. Elle le rejoint contre le mur. Ils pleurent. Elle dit :

— Vous ne savez pas ce que vous voulez.

50

Elle le regarde exister dans cette incohérence anéantissante qui le lui rend comme un enfant. Elle s'approche de lui tout comme si elle partageait sa souffrance, il la reconnaît mal tout à coup. Elle dit :

— Je vous désire beaucoup aujourd'hui, c'est la première fois.

Elle lui dit de venir. Venez. Elle dit que c'est un velours, un vertige, mais aussi, il ne faut pas croire, un désert, une chose malfaisante qui porte aussi au crime et à la folie. Elle lui demande de venir voir ça, que c'est une chose infecte, criminelle, une eau trouble, sale, l'eau du sang, qu'un jour il devra bien le faire, même une fois, fourrager dans ce lieu commun, qu'il ne pourra pas l'éviter toute sa vie. Que ce soit plus tard ou ce soir, quelle différence ?

Il pleure. Elle repart vers le mur.

Elle le laisse à lui-même. Met la soie noire, le regarde à travers.

Il attend qu'elle s'endorme. Et puis, souvent il le fait, il va dans la partie fermée de la maison. Il revient avec un miroir à la main, il va dans la lumière jaune, il se regarde. Il fait des grimaces. Et puis il se couche, il dort tout de suite, la tête tournée vers le dehors, sans bouger du tout, de crainte sans doute qu'elle ne s'approche encore. Il a tout oublié.

Sauf ce regard il y a quelques jours, on ne sait plus, rien n'arrive que les mouvements de la mer, les passages de la nuit, les pleurs.

Ils dorment, détournés l'un de l'autre.
C'est elle qui d'habitude sombre d'abord dans le sommeil. Il la regarde s'éloigner, s'en aller dans l'oubli de la chambre, de lui, de l'histoire. De toute histoire.

Cette nuit-là elle appelle encore, toujours avec ce mot, atteint, blessé, qui veut dire on ne sait pas quoi, qui est peut-être un nom, celui de quelqu'un dont jamais elle ne parle. Un nom comme un son, à la fois sombre et fragile, une sorte de gémissement.

Cette nuit-là encore plus tard, vers le matin, alors qu'il croit qu'elle est endormie, lui aussi il lui parle de ce qui s'est passé l'autre nuit.
Il dit :
— Je dois vous le dire, c'est comme si vous

étiez responsable de la chose intérieure qui est en vous, dont vous ne savez rien, et qui m'épouvante parce qu'elle prend et transforme au-dedans d'elle sans aucune apparence de le faire.

Elle ne dormait pas.

Elle dit :

— C'est vrai que je suis responsable de cet état astral de mon sexe au rythme lunaire et saignant. Devant vous comme devant la mer.

Ils se rapprochent, presque à se toucher. Ils se rendorment.

Avant cette nuit-là, entre les autres nuits, elle ne l'avait jamais vu. Elle ne peut pas se lasser de le voir. Elle lui dit :

— Je vous vois pour la première fois.

Il ne comprend pas, il est tout de suite méfiant et elle, elle le préfère ainsi. Elle lui dit qu'il est beau dans une façon dont rien d'autre n'est beau dans l'univers, aucun animal, aucune plante. Qu'il pourrait ne pas être là. Ne pas être survenu dans la chaîne de la vie. Qu'on a envie d'embrasser ses yeux, son sexe, ses mains, de bercer son enfance jusqu'à soi-même en être délivrée. Elle dit :

— Dans le livre on écrira : Les cheveux sont noirs et les yeux sont de la tristesse d'un paysage de nuit.

Elle le regarde.

Elle lui demande ce qui lui est arrivé.

Il ne comprend pas la question et ça la fait rire, elle. Elle le laisse ainsi, dans une légère inquiétude. Et puis elle l'embrasse et il pleure. Quand on le regarde très fort, il pleure. Et elle pleure de le voir.

Il découvre qu'il ne sait rien d'elle, ni son nom, ni son adresse ni ce qu'elle fait dans cette ville où elle l'a trouvé. Elle dit : c'est trop tard maintenant pour le savoir, le savoir ou non serait égal. Elle dit :

— Je suis comme vous désormais, au sortir d'une longue et mystérieuse souffrance dont je ne connais pas la raison.

Sous la lumière jaune, le visage nu.

Elle parle de la chose intérieure. Au-dedans de cette chose intérieure il fait la chaleur du sang. Il serait peut-être possible de faire comme si c'était un lieu différent, fictif, et d'y glisser, lentement d'y glisser jusqu'à la chaleur du sang atteinte, de rester là, et d'attendre, rien d'autre, attendre, voir venir.

Elle répète : Venir une fois pour voir. Que ce soit maintenant ou plus tard, il ne pourra pas l'éviter.

Il entend que peut-être elle pleure. Il supporte mal qu'elle pleure, il la laisse.

Elle remet la soie noire sur son visage.

Elle se tait.

C'est alors qu'elle ne demande plus rien qu'il va sur le sexe étale. Elle écarte les jambes pour lui se placer dans leur creux.

Il est dans le creux des jambes écartées.

Il pose sa tête au-dessus de l'entrouverture qui ferme la chose intérieure.

Il est le visage contre le monument, déjà dans son humidité, presque à ses lèvres, dans son souffle. Dans une docilité qui fait venir les larmes il se tient longtemps là, les yeux fermés, sur le plat du sexe abominable. C'est alors qu'elle lui dit que c'est lui son véritable amant, à cause de cette chose qu'il lui a dite, qu'il ne voulait jamais rien, que sa bouche est si près, que c'est intenable, qu'il doit le faire, l'aimer avec sa bouche, l'aimer comme elle aime, elle, elle aime qui la fait jouir, elle crie qu'elle l'aime, de le faire, qu'il est pour elle n'importe qui, comme elle pour lui.

Elle crie encore alors qu'il a retiré son visage.

Elle ne crie plus.

Il se réfugie contre le mur près de la porte. Il dit :

— Il faut me laisser, tout est inutile, je ne pourrai jamais.

Elle se couche le visage contre le sol. Elle crie de colère, elle se retient de frapper, puis elle ne crie plus, elle pleure. Et puis elle s'endort. Il vient près d'elle. Il la réveille, il lui demande de dire ce qu'elle croit. Elle croit que c'est déjà trop tard pour qu'ils se séparent.

Elle se détourne. Il regagne le mur. Elle dit :

— Peut-être l'amour peut-il se vivre ainsi dans une manière affreuse.

Elle dort sous la soie noire jusqu'au plein jour.

Le lendemain elle va contre le mur. Et encore toute la nuit elle dort. Il ne la réveille pas. Il ne lui parle pas. Elle part au lever du jour. Les draps sont pliés. La lumière est allumée. Il dort, il ne l'entend pas partir.

Il reste dans la chambre. La peur, tout à coup, d'être quitté.

Il fait de l'orage. Il reste là, il n'éteint pas le lustre, il reste dans la lumière.

Le soir de ce jour elle n'est pas là. L'heure de son arrivée est dépassée. Il ne dort pas. Il l'attend pour la tuer, il le croit, avec ses mains, la tuer.

Elle arrive au milieu de la nuit, très tard, c'est presque l'aube. Elle dit qu'elle est en retard à cause de l'orage. Elle va vers le mur de la mer, toujours à cette même place. Elle croit sans doute qu'il ne dort pas. Elle jette ses vêtements par terre, comme elle fait d'habitude, toujours dans cette précipitation vers le sommeil. Elle se met dans les draps, elle se retourne contre le mur. D'un seul coup elle sombre, elle dort.

C'est alors qu'elle est endormie qu'il lui parle. Il lui dit qu'elle sera chassée avant la fin du séjour qui a été prévu. Elle ne l'entend pas on dirait, elle n'entend plus rien.

Il pleure.

Il ne pleure que lorsqu'elle est là, dans ce lieu qui est à lui seul et qu'elle a envahi. Il ne pleure que dans ce cas, qu'elle soit là alors qu'il voudrait qu'elle ne soit là que lorsqu'il l'ordonne. Très vite les pleurs deviennent sans raison d'être aucune, de même que le sommeil. Il pleure comme, elle, elle dort. Parfois, elle, elle pleure dans la nuit, sans bruit.

Quand elle a été endormie, cachée dans les draps, l'envie lui est sans doute venue de se servir de cette femme, d'aller pour voir dans la cavité chaude du sang, d'en jouir de jouissance irrégulière, indigne. Mais il eût fallu pour ce faire qu'elle soit morte, et, lui, il avait oublié de la tuer.

Il lui dit qu'elle a menti sur les raisons de son retard. Toujours ce mot lui vient à la bouche : mentir. La preuve en est qu'elle dort. Il peut bien parler, elle dort, elle ment comme les autres femmes mentent, elle dort.

Il crie : Demain elle quittera la chambre pour toujours. Il veut être tranquille. Il a autre chose à faire que la police dans sa propre maison. Il fermera la porte, elle n'entrera plus.

Il éteindra les lampes pour qu'elle croie le lieu désert. Il lui dira : ce n'est plus la peine de venir, jamais.

Il ferme les yeux. Il essaye d'entendre, de voir : la chambre est noire. Aucune lumière ne filtre de dessous la porte. Elle frappe, il ne répond pas, alors elle crie d'ouvrir. Elle ne sait pas son nom, elle demande que l'on ouvre la porte. C'est moi, ouvrez. Il peut l'imaginer seule dans la ville ou parmi les gens des passages, il l'a déjà fait, il l'a déjà imaginée, quand elle vient par exemple et qu'il fait noir. Mais il ne peut pas l'imaginer devant la porte fermée. Tout de suite elle saurait, elle. Elle est ainsi, à tout de suite comprendre que la porte fermée, c'est une feinte. Sans doute le saurait-elle dès qu'elle verrait qu'il n'y a plus de lumière.

Il se trompe. Il recommence : non, elle ne criera pas, elle s'en ira sans avoir frappé à la porte et pour ne plus revenir. Le geste de tuer, de quitter pour toujours, de s'en aller pour toujours, s'il devait se produire, c'est elle qui le ferait. A la regarder dormir, tout à coup il le sait : c'est une personne qui ne revient pas parce que c'est une personne qui croit ce qu'on lui raconte. De même, elle dort, elle le croit.

Il dort longtemps. Lorsqu'il se réveille, il est tard dans la matinée. C'est le plein soleil. On le voit aux découpes de la porte, son écume filtre, d'une brillance d'acier.

Elle n'est plus dans la chambre.

La faiblesse nauséeuse tout à coup jusque dans sa tête, mais particulière, personnelle. Le malheur, mais tel qu'il l'a fait. Il en connaît l'économie, la matière.

Il éteint le lustre de lumière jaune. Il s'étend sur le sol de la chambre, plusieurs fois il s'endort, il se réveille, il ne va pas manger dans la cuisine de la maison fermée. Il n'ouvre pas la porte, il reste dans la chambre. Il garde la chambre, la solitude.

Lorsque l'heure de son arrivée approche, il décide qu'elle devra partir mais d'elle-même, que d'elle-même il faudra qu'elle en arrive à comprendre que lui il ne peut rien ordonner jamais.

Il aimerait parler avec quelqu'un. Mais il n'y a personne, elle n'est pas là pour parler. La souffrance est claire, répandue dans la chambre, la tête, les mains, la souffrance prive de forces, elle apaise la solitude, elle le laisse là, à penser qu'il va peut-être mourir.

Contre le mur, les draps qu'elle a pliés. Elle les a posés avec soin sur le sol comme le ferait une invitée. Il va vers les draps pliés, il les déplie et s'en recouvre : le froid tout à coup.

Le soir elle frappe à la porte restée ouverte.

On ne saurait pas, dirait un acteur, pour les héros de l'histoire, qui ils sont ni pourquoi.

Parfois, pour pouvoir les regarder, on les laisserait à eux-mêmes, dans le silence, un long moment : autour d'eux, les acteurs arrêtés, sans voix, et eux, dans la lumière, surpris par ce silence.

Souvent elle dort. Et lui la regarde.

Parfois, dans les mouvements du sommeil, leurs mains se touchent mais pour aussitôt se fuir.

Ils seraient aveuglés par la lumière, ils seraient nus, sexes nus, des créatures sans regard, exposées.

Pendant les nuits qui suivent, rien n'arrive que

le sommeil. On va vers un certain oubli des événements de l'été.

Parfois, dans la distraction, les corps s'approchent et se touchent et il se produit un réveil léger mais aussitôt recouvert par le sommeil. Dès lors qu'ils se sont touchés, les corps ne bougent plus. Cela jusqu'à ce que l'un d'eux se retourne et s'éloigne. Mais rien n'arrive qui soit clair. Toujours aucun regard. Aucun terme.

Parfois ils parlent. Ce qu'ils disent ne se rapporte en rien à ce qui se passe dans la chambre, sauf en ceci que de la chambre ils ne disent rien.

Parfois elle se retourne, elle se défend d'une menace extérieure, du cri d'un animal, du vent contre la porte, de sa bouche fardée, de la douceur de son regard. Elle se rendort toujours. Parfois, vers l'aube, elle atteindrait des couches plus profondes d'absence. A peine la respiration qui reste parfois. Parfois on croit à une bête endormie près de soi.

Au matin, il l'entend qui part. Mais c'est à peine aussi. Il ne bouge pas. On pourrait croire qu'il est dans cette même absence écrasante du matin. Et elle, elle fait comme si c'était vrai qu'il dort.

Parfois on peut dire que rien n'arrive que ce mensonge.

La nuit venue, elle est là à l'heure dite, le corps rangé sur les draps blancs, nue, dans la lumière du lustre.

Elle fait la morte, le visage aboli sous la soie noire. C'est ce qu'il pense les jours mauvais.

C'est sans doute encore la nuit. Aucune clarté ne vient encore du dehors. Autour des draps blancs, l'homme qui marche, qui tourne

La mer est arrivée devant la chambre. On ne doit pas être loin du matin. C'est la mer insomniaque qui est là, très proche des murs. C'est bien sa rumeur, ralentie, extérieure, celle qui porte à mourir.

Elle a ouvert les yeux.

Ils ne se regardent pas.

Cela dure depuis plusieurs nuits.

Aucune définition extérieure ne se propose pour dire ce qu'ils sont en train de vivre. Aucune solution pour éviter la souffrance.

Elle dort.

Il pleure.

Il pleure sur une image lointaine de la nuit d'été. Il a besoin d'elle, de sa présence à elle dans la chambre pour pleurer le jeune étranger aux yeux bleus cheveux noirs.

Sans elle dans la chambre l'image resterait stérile, elle dessécherait son cœur, son désir.

Le corps, il ne l'avait pas vu. Seulement qu'il portait des vêtements blancs, une chemise blanche.

Pâle, il était pâle, il venait du Nord, du pays secret.

Grand.

La voix, il ne sait pas.

Il ne bouge plus. Il refait le trajet du parc de l'hôtel jusqu'à la fenêtre du hall.

Il écoute, les yeux fermés. Il entend le cri. Il ne perçoit toujours aucun mot à travers, aucun sens. Quand il ouvre les yeux c'est déjà trop tard, le corps aux yeux bleus avance en silence vers la fenêtre ouverte.

A elle, il ne parle pas de lui. L'idée ne lui en vient pas. Il ne parle pas de sa vie. Il ne lui est jamais venu à l'idée qu'on pouvait le faire. Les mots ne sont pas là ni la phrase pour y mettre les mots. Pour eux dire ce qui leur arrive il y a le silence ou bien le rire ou quelquefois, par exemple, avec elles, pleurer.

Elle le regarde. C'est ainsi qu'elle le voit en son absence, tel qu'il est là. Plein d'images muettes, ivre de souffrances diverses, du désir de retrouver un objet perdu aussi bien que d'en acheter un qu'il n'a pas encore et qui devient tout à coup sa raison d'être, cet habit, cette montre, cet amant, cette voiture. Où qu'il soit, quoi qu'il fasse, toujours un désastre à lui seul.

Elle peut le regarder longtemps, des nuits. Il s'aperçoit que ses yeux sont ouverts. Il lui sourit comme s'il était démasqué en quelque sorte, contrit, toujours dans cette interminable excuse de vivre, d'avoir à le faire.

Elle parle pour lui plaire.
Elle dit qu'elle habite la ville pendant l'été. Qu'elle vit non loin d'ici, dans une ville universitaire, celle où elle est née. Qu'elle est une provinciale.
Elle aime beaucoup la mer, surtout cette plage. Ici, elle n'a pas de maison. Elle vit dans un hôtel. Elle préfère. L'été, c'est mieux. Pour le ménage, les petits déjeuners, les amants.

Il commence à écouter. C'est un homme qui écoute tout ce qu'on raconte avec une passion égale. On ne peut pas comprendre pourquoi à ce point. Il demande si elle a des amis. Elle en a, oui, ici et aussi dans cette ville qu'elle habite l'hiver. Ce sont des amis de toujours ? Il y en a quelques-uns qui le sont mais bien sûr ce sont surtout des gens qu'elle a connus à l'université. Parce qu'elle est à l'université ? Oui. Elle fait des sciences. Elle est aussi professeur intérimaire de sciences, oui. Elle raconte. Il dit qu'il avait compris qu'elle avait fait des études supérieures. Elle rit. Il rit, confus d'avoir perçu à quel point leur connivence était grande. Puis brusquement il voit qu'elle ne rit plus, qu'elle le quitte, qu'elle le regarde comme s'il était adorable, ou mort. Et puis qu'elle revient. Il reste dans son regard une lueur de l'égarement qu'elle vient de traverser en sa présence.

Ils ne parlent pas de cette peur. Elle sait moins que lui qu'il s'est passé quelque chose. Ils restent longtemps loin l'un de l'autre, à essayer de retrouver ce qui est arrivé lorsqu'ils se sont regardés, cette frayeur dont ils n'ont pas encore la connaissance.

Il aime bien cette idée de la folie à partir de quoi elle est venue habiter la chambre et elle a accepté l'argent. Il sait qu'elle est riche, il sait détecter ces choses-là. Il lui dit que, s'il se mettait à l'aimer, ce serait à cause de ça, surtout, de sa richesse, de sa folie.

Comme en réplique à tous ces propos, une nuit, elle découvre sur ses poignets les fines traces des lames de rasoir. Il n'a jamais parlé de ça. Elle pleure. Elle ne le réveille pas.

Le lendemain, elle ne vient pas dans la chambre. Elle ne revient que le surlendemain. Ils ne disent rien de cette absence. Lui ne lui pose pas de questions. Elle ne parle de rien.

Elle reviendra dans la chambre comme elle faisait d'habitude avant la découverte des traces sur les bras.

Le bruit de la mer s'est éloigné. On est encore loin du jour.

Elle se réveille, elle lui demande si c'est encore la nuit. Il dit que oui, que c'est encore ça. Elle regarde longtemps cet homme qui dort mal, elle le sait. Elle dit : J'ai encore beaucoup dormi.

Elle dit que, s'il le veut, il peut lui parler pendant qu'elle dort. Il peut aussi la réveiller s'il le désire pour qu'elle écoute ce qu'il dit. Elle n'est plus fatiguée comme elle l'était dans cette période de ce café au bord de la mer. S'il le désire aussi, tandis qu'elle dort, il peut aussi embrasser ses yeux, ses mains comme cette fois-là dans ce café. Quand elle sera endormie de nouveau, tard dans la nuit, il le fera :

La soie noire aura glissé et son visage sera nu sous la lumière. Il touchera ses lèvres avec ses doigts, celles de son sexe aussi, il embrassera les yeux fermés, le bleu qui fuit sous les doigts. Il touchera aussi certaines parties de son corps, infectes et criminelles. Lorsqu'elle se réveillera, il le lui dira :

— J'ai embrassé vos yeux.

Elle se recouchera, elle remettra la soie noire sur son visage. Lui s'allongera le long du mur et il attendra le sommeil. Elle répétera la phrase qu'il a dite mais avec sa douceur à lui, son intonation : J'ai embrassé vos yeux.

Au milieu de la nuit, elle est comme épouvantée. Elle se dresse, elle dit qu'un jour le nombre des nuits prévues sera dépassé et qu'ils ne le sauront pas. Il n'entend pas. Quand il dort, il n'entend pas. Elle s'allonge de nouveau, elle a du mal à se rendormir, elle le regarde, le regarde, sans fin, et elle lui parle et elle pleure d'entendre ce qu'elle lui dit, cet amour.

Il marche dans la chambre autour des draps blancs, le long du mur. Il lui demande de ne pas dormir. De rester nue, sans la soie noire. Il marche autour du corps.

Quelquefois, il reste le front contre le mur froid, là où cogne la mer forte.

Elle demande ce qu'il entend à travers le mur. Il dit :

— Tout. Aussi bien des cris, des coups, des éclatements, des voix.

Il entend aussi la Norma. Elle éclate de rire. Il s'arrête de marcher. Il la regarde rire, il est émerveillé par ce rire. Il se rapproche d'elle et il reste là à la regarder rire, mais rire, rire, embarquer toute leur histoire dans un fou rire.

Elle lui demande : Mais qui chante la Norma ? Il dit que c'est la Callas, qu'il n'y a qu'elle pour chanter Bellini. Elle lui demande : Mais où chante-t-on la Norma à quatre heures du matin dans cet endroit-ci ? Il dit que ce sont des gens dans une auto au bord de la plage, qu'elle n'a

qu'à bien écouter. Elle écoute et elle rit encore :
il n'y a rien. Alors, il lui dit que si elle veut
écouter la Norma, c'est une chose possible. Qu'il
y a un tourne-disque dans la maison. Elle le
laisse aller. Il a refermé la porte et peu après la
chambre a été pleine de la voix de la Callas.

Il revient. Il ferme la porte derrière lui. Il dit :
Je n'aurais jamais osé vous l'imposer.

Quand il écoute la Norma, elle embrasse ses
mains, ses bras. Il laisse faire.

Tout à coup, brutalement, il repart dans la
maison, arrête le disque. Il sort.

Il est sur la terrasse. La lune a disparu. Le ciel
est sans nuage aucun, on pourrait croire qu'il est
bleu. C'est la marée basse, la plage est découverte bien au-delà des jetées du chenal, elle est
devenue une vaste région abandonnée, creusée
de lacs, de trous. Les gens des passages marchent pour la plupart en bordure de mer, des
hommes surtout. Certains au contraire passent
près du mur de la chambre. Ils ne regardent pas.
Longtemps il n'avait pas su pour ces passages, il
croyait que ces gens partaient faire un travail de
nuit dans des pêcheries des environs, des mar-
chés. Il était parti de cette ville-ci, très jeune, à

l'âge où il ne pouvait pas encore savoir. Il était resté longtemps absent. Il y avait peu de temps qu'il était revenu y vivre, à peine quelques mois. Il était régulièrement parti d'ici. Toujours pour des raisons sentimentales. Et jusqu'ici il y était toujours revenu. Comme il n'avait que cette maison, il n'avait jamais cherché ailleurs où revenir vivre.

Il se souvient : quand il est loin d'ici, il ne regarde pas la mer, même quand elle est là, à sa porte.

Il ne fait rien. Il est quelqu'un qui ne fait rien et dont l'état de ne rien faire occupe la totalité du temps. Peut-être le sait-elle, elle, qu'il ne travaille pas. Un jour, elle lui a dit que dans cette ville il y avait beaucoup de gens qui ne travaillaient pas, qui vivaient de la location des villas l'été.

Les gens qui passent, toujours : certains vont vers la ville, ils marchent dans la direction de l'embouchure du fleuve, ils sont ceux qui reviennent. Les autres vont vers le labyrinthe des pierres, les masses sombres. Ils marchent comme ceux qui rentrent, sans rien regarder, rien voir.

Au loin, vers le nord, on distingue l'endroit des masses de pierres du reste de l'horizon. C'est au bas d'une colline calcaire, un amoncellement sombre. Il se souvient, il y avait des cabines de bains défoncées, un fort allemand tombé des falaises.

Dans la chambre, elle est assise sous le lustre de lumière jaune. Quelquefois, comme ce soir, quand il revient de la terrasse, il a oublié qu'il y a cette femme dans la chambre.

Il se souvient que ce soir elle avait un léger retard sur l'horaire habituel, il ne lui en a pas parlé. Il s'en préoccupe, non pas parce qu'il a oublié de lui en faire la remarque mais plutôt pour que ce retard ne prenne pas une importance qu'il pourrait éventuellement avoir plus tard, au cours des jours qui viennent, lorsqu'il lui arrivera de croire qu'il s'est mis à l'aimer.

Elle est droite dans la lumière du lustre, tournée vers la porte. Elle le regarde avancer dans la chambre comme chaque jour avec la même émotion que la première fois dans ce café au bord de la mer. Le corps est nu, les jambes sont celles longues et maigres d'un adolescent, le regard est incertain, d'une incroyable douceur. Il a ses lunettes à la main, il la voit mal.

Il dit qu'il était au bord de la mer à regarder

les passages comme dans un livre qu'elle aurait écrit. Il n'était pas parti. Il ne partait plus comme il faisait. Il n'avait plus pensé à partir depuis déjà plusieurs jours.

C'était avec elle dans la chambre qu'il avait pris cette habitude d'aller sur la terrasse la nuit et de regarder la mer.

Ils se taisent ensemble comme souvent ils font, longtemps.

C'est elle qui parle, qui s'inquiète à cause du silence.

C'est vrai, on n'entend plus rien, même pas ce bruit habituel de la mer et du vent mêlés. Il dit : La mer est très loin, presque plate, c'est vrai, plus rien.

Elle regarde autour d'elle. Elle dit : Personne ne peut savoir ce qui se passe dans cette chambre. Et personne ne peut dire non plus ce qui y arrivera plus tard. Elle dit que les deux choses sont également effrayantes pour les gens qui les regardent. Il s'étonne : Qui les regarde ? Les habitants de la ville, ils voient bien que la maison n'est pas vide. A travers les volets fermés ils voient de la lumière et ils se demandent. Quoi, ils se demandent ? S'il ne faut pas appeler la police. La police demande : Pour quelle raison vous êtes là ? Et eux ils trouvent aucune raison. Voilà.

Il dit : Un jour on ne se connaîtra plus. Très vite la maison sera vide, vendue. Je n'aurai pas d'enfant.

Elle ne l'écoute pas, elle parle de son côté. Elle dit :

— Peut-être quelqu'un d'extérieur pourrait-il arriver à savoir ce qui est en train de se passer dans la chambre. Quelqu'un qui simplement les regarderait dormir et qui saurait, à partir du sommeil, de la position des corps, si les gens de la chambre se sont aimés.

Elle trouve aussi que c'est trop tard, qu'ils dorment trop longtemps chaque jour. Elle ne dit pas pour quoi faire, du moment qu'ils n'attendent rien. Elle dit autrement : elle dit qu'il leur faut du temps pour penser à eux-mêmes, à leurs destinées.

Elle voudrait qu'il lui rappelle ce qu'elle a dit tout à l'heure quand elle s'est réveillée. Il lui arrive de parler dans le demi-sommeil et de mal se souvenir au réveil de ce qu'elle a dit. Mais là elle se souvient bien d'une voix de femme qui

ressemblait à la sienne, et d'une phrase compli-
quée, douloureuse, arrachée de sa propre chair,
qu'elle n'avait pas comprise tout à fait et qui
l'avait fait pleurer.

Elle retrouve ce qu'elle a dit en dormant. Elle
a parlé du temps qui passe dans la chambre. Elle
aimerait bien savoir comment dire cette envie de
retenir contre soi ce temps qui passe, visage
contre visage, corps contre corps, serrés. Elle dit
qu'elle parle de ce temps entre les choses, entre
les gens, celui que les autres gens jettent, sans
importance pour eux, eux ces gens perdus. Mais
elle dit que c'est peut-être de ne pas en parler qui
fait se produire ce temps-là qu'elle, elle cherche
à gagner.
Elle pleure. Elle dit que le plus terrible, c'est
l'oubli des amants, de ces jeunes étrangers aux
yeux bleus cheveux noirs. Il reste immobile, les
yeux détournés. Elle s'allonge, elle se recouvre
des draps et, son visage, elle le cache avec la soie
noire. Il se souvient que c'est bien du temps qui
passe qu'il doit s'agir dans cet étrange discours
qui quelquefois la réveille.

Elle bavarde.

La nuit, souvent elle le fait. Il écoute avec attention tout ce qu'elle raconte. Cette nuit, elle dit que lorsqu'ils se seront quittés ils n'auront de souvenir d'aucune nuit particulière, d'aucune parole, d'aucune image qui soit séparée du reste des paroles, du reste des images. Qu'ils auront un souvenir fixe du vide de la chambre, du théâtre de lumière jaune, des draps blancs, des murs.

Il s'allonge très près d'elle. Il ne la questionne pas. Elle est très fatiguée tout à coup, au bord des larmes. Il dit : Nous aurons un souvenir de la soie noire aussi, de la peur, de la nuit. Il dit : Du désir aussi. Elle dit : C'est vrai, de notre désir l'un de l'autre dont nous ne faisons rien.

Elle dit : Nous avons menti. Nous ne voulons pas savoir ce qui se passe dans la chambre. Il ne demande pas pourquoi elle est si fatiguée.

Elle se retourne sur elle-même. Elle s'allonge tout le long de son corps mais reste là sans l'aborder, le visage toujours sous la soie noire.

Elle dit que ce soir elle était avec un homme avant de venir chez lui, qu'elle avait joui très fort de cet autre homme, avec ce désir qu'elle avait de lui et que c'était cela qui l'avait fatiguée.

Pendant un long moment elle ne sait plus rien de lui. Et puis il parle. Il demande comment était cet homme, son nom, sa jouissance, sa peau, sa verge, sa bouche, ses cris. Jusqu'à l'aube il demande. A la fin seulement, la couleur de ses yeux. Elle dort.

Il la regarde. Dans la masse bouclée des cheveux, dans la profondeur de la luisance noire, des lueurs rousses qui rappellent celles des cils. Et les yeux de peinture bleue. Et du front jusqu'aux pieds, cette parité du corps à partir de l'axe du nez, de la bouche, dans le corps tout entier cette redite, cette répétition égale des cadences et de la force et de la fragilité. La beauté.

Il lui dit qu'elle est belle. Belle au-delà de ce qu'il a jamais vu. Il lui dit que le premier soir, lorsqu'elle était apparue dans la porte de la chambre, il en avait pleuré. Elle ne veut pas savoir ça, elle n'entend plus ce qu'on dit de cette calamité.

Il lui rappelle qu'il y a trois jours elle était déjà en retard sur son horaire habituel. Il lui demande si c'était cet homme qui en était cause. Elle cherche à se souvenir. Non, ce n'était pas lui. Ce jour qu'il dit, il l'avait abordée sur la plage.

77

C'était aujourd'hui qu'ils étaient allés dans la chambre de l'hôtel pour la première fois.

A partir de ce soir-là elle arrivera plus tard qu'elle ne devrait. D'elle-même elle ne dit pas pourquoi elle est en retard. Il faut qu'il le lui demande, alors elle le dit. C'est à cause de cet homme, elle le revoit dans l'après-midi, ils restent ensemble jusqu'à l'heure du contrat, celle où elle vient dans cette chambre-ci pour y passer la nuit. Cet homme connaît son existence, elle lui a parlé de lui. Lui aussi jouit très violemment du désir qu'elle a pour un autre homme.

Quand elle lui parle de cet homme, toujours ses yeux le regardent. Très souvent elle parle du bord du sommeil.

Quand elle s'endort, il le sait à sa bouche qui s'entrouvre, à ses yeux qui cessent de trembler sous les paupières et qui tout à coup s'enlisent vers l'envers du visage. Alors il la fait verser doucement vers le sol, dans le champ de son regard. Elle dort. Il regarde. Fait glisser la soie noire, regarde le visage. Le visage, toujours.

Ce soir, le fard de ses yeux a été mangé par les baisers de l'autre homme. Les cils sont nus, ils ont la couleur de la paille rousse. Il y a de légères meurtrissures sur ses seins. Ses mains sont ouvertes, elles sont très légèrement salies, leur odeur a changé.

Cet homme existe comme elle le dit.

Il la réveille.

Il lui demande tout à la fois d'où elle vient, qui elle est, son âge, son nom, son adresse, sa profession.

Elle ne dit rien. Ni d'où elle vient. Ni qui elle est. Elle ne donne pas son nom.

C'est fini. Il n'insistera pas. Il parle d'autre chose.

Il dit : Dans vos cheveux, sur votre peau, il y a un nouveau parfum, difficile de dire quoi.

Elle baisse les yeux pour le dire. Ce n'est plus seulement son parfum à elle, c'est aussi celui de l'autre homme. S'il le désire, elle viendra avec sur elle le seul parfum de cet homme, demain, s'il le désire. Il ne dit pas s'il le désire.

Une nuit il lui demande pourquoi elle est allée à sa table dans le café du bord de la mer. Pourquoi elle a accepté le contrat des nuits blanches.

Elle cherche. Elle dit :

— Parce que dès que vous êtes entré dans ce café dans l'état où vous étiez, dans cette douleur paisible, vous vous souvenez, vous aviez envie de mourir, j'ai voulu mourir à mon tour de cette façon théâtrale et extérieure. Je voulais mourir avec vous. Je me suis dit : Mettre mon corps contre son corps et attendre la mort. Comme vous l'imaginez sans doute, j'ai derrière moi une éducation qui aurait dû me faire croire que vous étiez un voyou et qu'il fallait que j'aie peur de vous, mais vous pleuriez, je n'ai vu que ça et je suis restée. C'est le matin sur cette route nationale, quand vous avez dit que vous vouliez me payer, que je vous ai regardé tout entier. J'ai vu les vêtements de clown et autour de vos yeux le khôl bleu. Alors j'ai su que je ne m'étais pas trompée, que je vous aimais parce que, au contraire de ce qu'on m'avait enseigné, vous n'étiez ni un voyou ni un assassin, vous étiez sorti de la vie.

Il croit percevoir dans le sourire le tiraillement des larmes, l'absence et, dans le regard, la nouvelle hypocrisie, celle qui arrive quinze jours après le commencement des choses. Il en est effrayé.

Elle dit :

— Je ne vous connais pas. Personne ne peut vous connaître, se mettre à votre place, vous n'avez pas de place, vous ne savez pas où trouver une place. Et c'est de ça que je vous aime et que vous êtes perdu.

Elle ferme les yeux. Elle dit :

— Dans cette maison au bord de la mer, vous êtes perdu comme un peuple sans descendance. Dans ce café, j'ai vu que vous souhaitiez avoir cette renommée, ce statut, je suis restée avec vous dans un moment de ma vie — au cœur de ma jeunesse — où j'étais comme si ce peuple égaré était aussi le mien.

Elle s'arrête, elle le regarde, puis elle lui dit que pendant les premières heures de leur rencontre elle avait su qu'elle s'était mise à l'aimer comme on sait qu'on a commencé à mourir.

Il demande si elle est habituée à la mort.

Elle dit qu'elle croit que oui, que c'est la chose à laquelle on s'habitue le mieux. Elle dit :

— Après, à la fin de la nuit, c'était déjà trop tard pour que je refuse. Ça a toujours été trop tard pour ne plus vous aimer. L'argent, vous le pensiez, devait confirmer la mort et vous m'aviez payée pour ça, pour ne pas vous aimer. Et moi, à travers tous ces stratagèmes j'ai seulement vu que vous étiez encore très jeune et vos histoires d'argent n'ont servi à rien.

Il veut savoir pour cet homme de la ville.

Elle lui dit : Ils se voient dans l'après-midi dans une chambre d'hôtel qu'il a louée au mois pour eux se retrouver dans la journée. Ils restent ensemble dans cette chambre jusqu'à l'heure du contrat. Quelquefois il ne vient pas et alors il lui arrive de s'endormir, c'est là la cause de ses retards, c'est lui qui la réveille d'habitude, s'il n'est pas là, elle ne se réveille pas. Parfois aussi en sortant de la chambre elle va directement dans cet hôtel et elle y reste jusqu'au lendemain soir.

Elle lui apprend qu'elle a démissionné de son poste de professeur. Il crie contre elle. Espèce d'idiote, de folle, il dit. Ce n'est pas moi qui vais vous entretenir, n'y comptez pas. Elle rit beaucoup beaucoup et il finit par rire avec elle.

Il est allongé près d'elle. Elle est sous la soie noire les yeux fermés. Elle caresse les yeux, la cavité des yeux, la bouche, l'arête des méplats, le front. Elle cherche en aveugle un autre visage, à travers la peau, les os. Elle parle. Elle dit que cet amour est aussi terrible à vivre que l'immensité indienne. Et elle crie.

Elle retire ses mains du visage de l'homme de la chambre comme si elle s'y était brûlée, elle se détourne de lui, elle va se jeter contre le mur de la mer. Et elle crie.

Elle est en sanglots. Elle est devant la perte qu'elle découvre à l'instant de toute raison de vivre.

La chose arrive avec la soudaineté de la mort.

Elle appelle quelqu'un à voix très basse, sourde, elle l'appelle comme en sa présence, comme elle ferait d'un mort, au-delà des mers, des continents, du nom de tous elle appelle un seul homme avec la sonorité centrale de la voyelle sanglotée de l'Orient, celle sortie des combles de l'hôtel des Roches à la fin de cette journée d'été.

Elle pleure loin de lui, de cet homme-ci, hors de son fait, en deçà de toute histoire, elle pleure l'histoire qui n'a pas existé.

L'homme est redevenu l'homme de la chambre. Il est seul. D'abord, quand elle a crié, il ne l'a pas regardée, il s'est dressé pour s'en

aller, pour fuir. Et puis il a entendu le nom.
Alors lentement il est revenu auprès d'elle. Il a
dit :

— C'est curieux, j'essaye de me souvenir à
votre place, comme si c'était possible, il me
semble pouvoir le faire, retrouver les circonstances, l'endroit, les propos... et en même temps je
sais que c'est impossible parce que... une chose
pareille, si terrible, ce serait extraordinaire que je
l'aie oubliée.

C'est comme si il n'avait pas parlé. Elle reste
détournée de lui, le visage face au mur, elle lui dit
de partir. Elle lui demande d'aller dans la maison, de la laisser seule.

Pendant tout un jour elle reste dans la chambre.

Quand il revient dans la chambre, elle est dans
le cadre de la porte ouverte, habillée de blanc.

Elle sourit, elle dit :

— C'est l'épouvante.

Il demande quoi est l'épouvante. Elle dit :

— Notre histoire particulière.

Il lui demande ce qui lui est arrivé. Elle dit que
c'était son visage à lui qu'elle, elle caressait, mais
que, sans doute sans s'en rendre compte, sans
qu'elle le sache, elle avait cherché un autre visage

84

que le sien. Que tout à coup cet autre visage avait été sous ses mains.

Les raisons qu'elle donne, il ne les retient pas. Elle dit :

— Je ne comprends pas, c'était comme une apparition, c'est pourquoi j'ai eu si peur.

Elle dit qu'ils sont de même que s'ils étaient retenus ensemble dans un livre et qu'avec la fin du livre ils seront rendus à la dilution de la ville, de nouveau séparés.

Elle parlera de l'incident avec légèreté. Elle dira :

— Ça aurait très bien pu se passer loin d'ici, il y a des années, dans un pays étranger, pendant un été éblouissant, comme pour vous ces chagrins mortels des vacances qui vous faisaient pleurer, ç'aurait pu être oublié au point de n'en plus rêver, jamais, jamais, et revenir tout à coup sous la main avec la force d'une première fois, d'un amour fou, soudain.

Il dit qu'il commence à oublier les yeux du jeune étranger aux yeux bleus cheveux noirs. Au réveil, quelquefois, il doute même que l'histoire ait existé. Comme ce visage qu'elle, elle cherchait sans le savoir, celui du jeune étranger doit en recouvrir un autre pour lui, mais à venir. Il dit que le visage aveugle dont il se souvient encore lui paraît maintenant hostile, brutal.

Elle lui dit que depuis toujours c'était sans doute lui qu'elle voulait aimer, un faux amant, un homme qui n'aime pas.

Il dit :

— Avant de me connaître c'était donc déjà moi.

— Oui, comme au théâtre le rôle, avant même de savoir que vous existiez.

Il éprouve une certaine frayeur. Il n'aime pas que l'on parle de ça, de certaines choses. Il dit qu'ils ont parlé de ce qu'ils ne connaissent pas. Elle n'en est pas sûre. Elle dit :

— Vous vous trompez, peut-être que ce n'est pas vrai. On connaît tout d'une certaine façon, tout et tout le monde j'entends. Regardez la mort, comme on la connaît bien.

Il reste longtemps immobile dans la lumière jaune, dans l'effrayante sonorité des mots. Il lui dit de venir plus près de lui. Elle le fait, elle s'allonge très près de lui mais sans du tout toucher son corps. Il demande si c'est le visage de quelqu'un qui est mort qu'elle a trouvé sous sa main.

Elle est lente à répondre. Elle dit que non, sans doute pas.

Il voudrait qu'elle vienne dans la lumière. Elle ne peut pas encore venir, elle lui demande de la laisser. Il ne la laisse pas, il la questionne et elle, elle répond :

— Pourquoi avez-vous crié ?

— Parce que j'ai cru à un châtiment du Ciel.

Ils dorment, ils se réveillent, il demande encore comment était cet amour, comment il se vivait. Elle dit :

— Comme un amour qui a un commencement et une fin, inoubliable alors qu'on l'a oublié, je ne sais plus.

Elle dit qu'on devrait arriver à vivre comme ils le font, le corps laissé dans un désert avec, dans l'esprit, le souvenir d'un seul baiser, d'une seule parole, d'un seul regard pour tout un amour.

Elle dort.
Il dit : C'était un soir d'une exceptionnelle

douceur, pas un souffle de vent, toute la ville était dehors, on ne parlait que de la tiédeur de l'air, une température coloniale, l'Egypte au printemps, les îles de l'Atlantique sud.

Des gens regardaient le couchant, le hall ressemblait à une cage en verre posée sur la mer. A l'intérieur, il y avait des femmes avec des enfants, elles parlaient de la soirée d'été, elles disaient que c'était très rare, trois ou quatre fois dans la saison peut-être, et encore, qu'il fallait en profiter avant de mourir parce qu'on ne savait pas si Dieu ferait qu'on ait encore à vivre des étés aussi beaux.

Les hommes étaient dehors sur la terrasse de l'hôtel, on les entendait aussi clairement que les femmes du hall, eux aussi parlaient des étés passés. Les propos étaient les mêmes, les voix aussi, elles étaient pareillement légères et vides.

Elle dort.

— J'ai traversé le parc de l'hôtel, je suis allé près d'une fenêtre ouverte, je voulais aller sur la terrasse avec les hommes, mais je n'ai pas osé, je suis resté là à regarder les femmes. C'était beau, ce hall posé sur la mer devant le centre du soleil.

Elle se réveille.

— C'est peu après que je suis arrivé près de la fenêtre que je l'ai vu. Il avait dû entrer par la porte du parc. Je l'ai vu alors qu'il était au milieu de sa traversée du hall. Il s'est arrêté à quelques mètres de moi.

Il sourit, il essaye de se moquer, mais ses mains tremblent.

— C'est là que c'est arrivé. Cet amour dont je ne vous ai pas parlé, c'était là. C'est là que j'ai vu pour toujours un jeune étranger aux yeux bleus cheveux noirs, celui pour qui je voulais mourir ce soir-là en votre présence, au café du bord de la mer — il sourit, il se moque mais il tremble encore.

Elle le regarde, elle répète les mots pour les dire : Un jeune étranger aux yeux bleus cheveux noirs.

Elle sourit, elle demande : Celui que vous m'avez dit déjà, celui qui est parti avec cette femme habillée de blanc ?

Il confirme : C'est ça.

Elle dit :

— Ce soir-là, je suis passée par le hall, mais quelques minutes, pour rejoindre quelqu'un qui devait quitter la France.

Elle se souvient du bruit des femmes dans le hall, de certaines paroles dites sur l'exceptionnelle douceur de cette soirée de l'été finissant.

Mais, de la soirée en elle-même, elle ne se souvient pas.

Elle cherche. Oui, elle se souvient de l'émerveillement général devant la rareté d'une soirée dont on parlait comme d'une chose à retenir hors de la mort pour plus tard pouvoir la raconter aux enfants. Et aussi qu'elle, elle aurait été pour cacher cette soirée d'été, pour la mettre en cendres.

Elle se tait longtemps. Elle pleure.

Elle dit qu'elle se souvient surtout du ciel rouge, à travers les rideaux fermés de la chambre de l'hôtel des Roches où elle faisait l'amour avec un jeune étranger qu'elle ne connaissait pas, qui avait les yeux bleus et les cheveux noirs.

Il pleure à son tour. Il se tait. Il va loin d'elle.

Elle dit qu'il y a beaucoup d'étrangers qui viennent en été dans cette station pour apprendre le français, qu'ils ont toujours les cheveux noirs et quelquefois les yeux bleus. Elle ajoute : Et le teint mat comme certains Espagnols, vous avez remarqué ? Il a remarqué, oui.

Il lui demande si à un certain moment de la nuit, près d'elle, dans le hall, il n'y avait pas eu cependant, pendant très peu de temps, à peine quelques secondes, un autre très jeune homme habillé de blanc, un autre jeune étranger aux yeux bleus cheveux noirs. Elle demande :

— Vous dites : en blanc ?

— Je ne suis plus sûr de rien, il me semble, en blanc, oui. Beau.

Elle le regarde, c'est elle qui demande :

— Qui est-il ?

— Je ne sais pas. Je ne l'ai jamais su.

— Et pourquoi serait-il étranger ?

Il ne répond pas. Elle pleure, elle lui sourit dans les larmes.

— Pour qu'il soit reparti pour toujours ?

— Probablement.

Il lui sourit lui aussi dans les larmes.

— Pour désespérer encore plus avant.

Ils pleurent. Il demande à son tour :

— Et lui aussi est parti en réalité ?

— Oui. Pour toujours lui aussi.

— Vous avez eu une histoire.

— Nous sommes restés trois jours entiers dans cette chambre de l'hôtel des Roches. Et puis le jour de son départ est arrivé, ce jour d'été que vous dites dont je n'ai rien vu sauf ces quelques minutes dans le hall. J'étais descendue

la première de la chambre et il devait me rejoindre. On était en retard.

Il hésite. Il lui demande de le lui dire. Elle le
lui dit :

— Non. Il aimait être avec des femmes.

Il dit la phrase de la prédication :

— Tôt ou tard il serait venu à nous, ils y
viennent tous, il suffit d'attendre le temps qu'il
faut.

Elle sourit, elle dit :

— Lui ne serait pas resté dans la chambre.

Il ferme les yeux. Il dit qu'il revoit le hall dans
la lumière de l'été. Il demande :

— Il ne voulait pas vous quitter, c'est ça ?

— C'est ça, il ne voulait pas. Il ne voulait pas.

— Le crime dont vous parliez, c'était ça ?

— C'était ça.

— Votre séparation.

Elle ne le regarde pas. Elle dit : Oui. Elle
dit :

— Pourquoi ? Allez voir... Je ne sais pas. Je ne
sais pas encore, je ne saurai peut-être jamais. La
beauté peut-être, elle était surprenante, incroyable. Il y avait aussi ça, cette beauté profonde qui
avait l'air d'avoir un sens, comme toujours, la

beauté, lorsqu'elle déchire. Contrairement à ce que l'on pouvait penser, il venait du Nord. De Vancouver. Juif, je crois. Il était ouvert à l'idée de Dieu.

Elle dit : Peut-être l'idée du bonheur, l'épouvante.

Elle dit : Ou peut-être l'idée du désir, trop fort, terrible.

Il lui demande :

— Quelquefois en dormant vous prononcez comme un nom, un mot. C'est vers le matin, il faut être très près de votre visage pour arriver à l'entendre. C'est à peine un mot, mais on pourrait croire qu'il ressemble à celui qu'une voix criait dans l'hôtel.

Elle lui parle de ce mot. Ce mot était un nom dont elle l'avait appelé lui et dont lui l'avait appelée en retour, ce dernier jour. C'était en fait son nom à lui, mais déformé par elle. Elle l'avait écrit le matin même de son départ face à la plage vidée par la chaleur.

Elle l'avait regardé dormir. C'était aux environs de midi, elle l'avait réveillé pour qu'il la prenne encore. Il avait ouvert les yeux, il n'avait pas eu un geste. C'était elle qui l'avait pris, elle s'était fait pénétrer elle-même par lui, tandis que sous elle il était mort de douleur d'avoir à la quitter. Et c'était là qu'il l'avait appelée de son propre nom, celui de l'Orient par elle déformé.

Ils étaient allés sur la plage une dernière fois. Puis ils n'avaient plus su quoi faire jusqu'à l'heure du départ.

Il était remonté dans la chambre pour prendre ses bagages. Elle, elle n'avait pas voulu y revenir. C'était possible qu'il l'ait appelée à ce moment-là, de crainte qu'elle ne se sauve du hall avant qu'il ne redescende de la chambre.

Elle se souvient du hurlement qui venait des combles de l'hôtel. Elle avait effectivement eu envie de fuir ce dernier instant et c'était ce hurlement qui l'avait retenue dans le hall.

Il demande s'il pleurait. Elle ne sait pas, elle ne le regardait plus, elle voulait le perdre.

Puis l'heure était arrivée.

— Je l'ai accompagné à son avion. Ce sont des mœurs internationales.

— Quel âge ?

— Vingt ans.

— Oui.

Il la regarde. Il dit : Comme toi. Il dit :

94

— Les premiers jours, vous dormiez beaucoup dans la chambre. C'était à cause de lui, et moi qui ne le savais pas et qui vous réveillais.

Ils sont longs à parler encore. Elle dit :

— Avec son nom j'ai fait une phrase. Dans cette phrase il est question d'un pays de sable. D'une capitale du vent.

— Vous ne la direz jamais.

— Les autres la diront pour moi plus tard.

— Que veut dire le mot dans la phrase ?

— L'égalité des destinées devant son sommeil peut-être, ce matin-là ? devant la plage, devant la mer, devant moi ? Je ne sais pas.

Ils se taisent encore. Il demande :

— Vous avez quand même attendu une lettre où il aurait dit qu'il revenait ?

— Oui. Je ne connaissais ni son nom ni son adresse, mais lui connaissait le nom de l'hôtel où nous étions. J'ai prévenu l'hôtel pour le cas d'une lettre avec ce mot sur l'enveloppe. Je n'ai rien eu.

— Vous avez tout fait pour mourir.

Elle le regarde, elle dit :

— Nous ne pouvions pas faire autrement. Je suis même allée chez vous pour mourir davantage.

Il lui demande de dire le mot. Il l'écoute le

dire, les yeux fermés. Il demande de le dire encore et encore, elle le lui dit à lui et il l'écoute toujours. Il pleure. Il dit que c'était bien elle qui avait crié dans l'hôtel. Il reconnaissait la voix comme s'il venait de l'entendre. Elle ne dément pas. Elle dit : C'est comme vous voudrez.

Il se tient toujours les yeux fermés devant le jeune étranger aux yeux bleus cheveux noirs. Il dit que lui ne comprend pas ce mot, qu'il pensait que ce mot ne voulait rien dire jusqu'à cet instant-ci où il vient de l'entendre comme l'a entendu le jeune étranger aux yeux bleus cheveux noirs dans la chambre de l'hôtel des Roches où il était avec une femme.

Maintenant elle, elle se souvient bien de l'été, de cette soirée, de ces cages de lumière grandes ouvertes tout au long de la mer et soudain silencieuses devant la beauté des choses.

Il lui demande de ne pas mettre la soie noire sur son visage cette nuit parce qu'il voudrait la regarder dormir.

Il regarde dormir celle qui a été pénétrée par le jeune étranger aux yeux bleus cheveux noirs. Le matin venu, il parle de son sommeil à lui, il voudrait rêver d'elle, il ne rêve jamais d'une femme, il ne se souvient d'aucun rêve, fût-il insipide et pauvre, dans quoi une femme serait mêlée.

Les jours sont plus courts, les nuits plus longues, l'hiver vient. Aux heures proches du lever du soleil, le froid commence à pénétrer dans la chambre, c'est à peine encore mais c'est chaque jour. Il est allé prendre des couvertures dans la maison fermée.

Aujourd'hui il y a de la tempête, le bruit de la mer est très près. C'est une grande marée qui s'acharne contre le mur de la chambre. Le tout de la chambre, du temps, de la mer est devenu l'histoire.

Il parle de quitter la France, d'aller à l'étranger dans un pays chaud. Il a peur de l'hiver en France. Il reviendrait l'année prochaine pour l'été.

Elle dit que chaque fois qu'il parle de partir elle entend les chiens de la mort dans sa tête et autour de la maison.

Elle lui demande : L'étranger, pour quoi faire ? Il ne sait pas, peut-être rien, peut-être un livre. Peut-être rencontrer quelqu'un. Il attend comme une dernière rencontre avant de mourir.

Elle dort. Il lui parle lorsqu'elle dort.

Elle est allongée près de lui sur le sol, elle dort. Il dit :

— Je ne sais rien de ce que vous pensez. Je ne peux pas imaginer que vous puissiez souffrir de ce que je dis. Je ne dis rien. Je ne dis jamais la vérité. Je ne la connais pas. Je ne dis rien pour faire souffrir. C'est après, quand vous souffrez, que j'ai peur de ce que j'ai dit.

Il hésite et puis il la réveille. Il dit :

— Ce n'est pas la peine de compter les nuits qui restent. Il y en aura sans doute encore avant notre séparation.

Elle le sait : même lorsque ce sera la dernière nuit, ce ne sera pas la peine de le signaler, parce que ce sera le commencement d'une autre histoire, celle de leur séparation.

Il comprend mal ce qu'elle dit, il n'a jamais eu d'histoires que très courtes, sans lendemain. L'histoire du jeune étranger aux yeux bleus cheveux noirs est la plus longue, à mesure que passe le temps, mais c'est à cause d'elle qui la garde. Elle croit qu'il se trompe, que les histoires se vivent aussi sans qu'on le sache. Qu'ils se tiennent déjà à la fin du monde, là où les destinées s'effacent, où elles ne sont plus ressenties comme étant personnelles ni même peut-être humaines. Des amours de collectivités, elle dit. Ça serait dû à la nourriture et à l'uniformité du monde.

Ils rient. Se voir rire les rend fous de bonheur.

Elle lui demande de la prévenir lorsqu'un jour il se mettra à l'aimer et à le savoir, si jamais. Après avoir ri, ils pleurent ensemble comme chaque jour.

Quand elle part, le soleil s'engouffre, il éclate dans la chambre. Quand elle ferme la porte, la chambre bascule dans le noir, et lui entre déjà dans l'attente de la nuit.

Elle arrive ce soir-là plus tard que d'habitude.

Elle dit qu'il fait froid, que la ville est déserte, que le ciel est clair, lavé par la tempête, presque bleu. Elle ne dit pas pourquoi elle est en retard. Ils se taisent longtemps, allongés l'un près de l'autre. Elle, encore contre le mur. Et lui qui encore la ramène vers le centre de l'attention, le lieu de la lumière théâtrale.

Elle a enlevé la soie noire.

Elle parle de l'autre homme. Elle dit :

— Je l'ai vu ce matin à l'hôtel, en sortant d'ici.

Je savais que cette nuit il dormait dans cet hôtel. Il me l'avait dit. Il m'attendait. La porte était ouverte. Il était debout dans le fond de la chambre, les yeux fermés, il m'attendait. C'est moi qui suis allée à lui.

Il quitte le centre de lumière jaune, il va loin d'elle, vers le mur. Il se tient les yeux baissés pour ne pas la voir. Ils sont tous les deux sans regard aucun l'un vers l'autre, dans la feinte instinctive de la plus grande indifférence. Il attend, elle continue à parler :

— Il m'a demandé si quelque chose s'était passé entre vous et moi. J'ai dit que non, que mon désir de vous grandissait toujours mais que je ne le vous disais pas parce que vous éprouviez une grande répugnance à l'idée de ce désir. Tout à coup j'ai été dans ses mains. Je l'ai laissé faire comme il voulait.

Elle dit que l'homme criait, qu'il était perdu, que ses mains étaient devenues très brutales à toucher le corps. Que la jouissance avait été à en perdre la vie.

Elle se tait. Il dit :

— Je vais partir.

Elle ne répond pas. Elle a repris sa place

d'endormie sous la lumière. Elle a remis la soie noire sur son visage. Elle ne s'est pas excusée.

Il reste le long du mur. Il ne bouge pas. Il ne se rapproche pas. Elle doit penser : je vais partir chassée pour toujours. Il lui dit de se recouvrir des draps blancs, qu'il ne veut pas voir. Il la regarde s'en recouvrir. Elle fait comme si elle ne le voyait pas. Il lui demande de le regarder. Elle regarde.

Elle regarde la chambre à travers la soie noire, sans poser les yeux, comme on regarderait l'air, le vent. Elle parle de l'autre homme. Elle dit que c'était sur la plage qu'elle avait vu cet homme pour la première fois, le premier soir qu'elle était venue, qu'ils s'étaient vus, sans plus. Qu'ensuite elle l'avait revu dans les parages de la maison. Elle dit que sans se connaître les gens des passages se reconnaissent. Il était d'abord venu pour la voir. Et puis un soir il l'avait abordée.

Il ne savait pas qu'elle passait par la plage pour venir. Elle dit que ce n'est pas toujours. Le plus souvent, elle vient par les ruelles derrière l'avenue mais que néanmoins elle tourne vers la plage en arrivant. Elle dit : Pour la voir. Elle dit :

— Ce soir, il y a très peu de gens des passages

à cause du vent froid sans doute et des événements — elle ne dit pas lesquels. Ils rient.

Est-ce qu'elle sait ce qui se passe vers les
masses de pierres à partir du temps qu'il fait, du
froid, du vent ? Oui. Elle le sait dès la sortie de
la ville. Elle raconte : Avant d'avoir appris ce qui
se passait la nuit de ce côté-là de la plage elle ne
savait pour ainsi dire rien. C'était ce qui se
passait là, presque chaque nuit, qui faisait qu'un
jour elle écrirait. Que même si cette connaissance
n'apparaissait pas en clair à la lecture des livres
qu'elle écrirait, ce serait à travers ça que ces livres
voudraient dire et devraient être lus.

Elle a entendu parler des passages lorsqu'elle
était jeune. Les filles de la classe parlaient des
masses de pierres et des gens qui y allaient la
nuit. Certaines filles y étaient allées pour se faire
toucher par les hommes. Beaucoup n'osaient pas,
de crainte. Celles qui y étaient allées, une fois
revenues de là, ne pouvaient plus jamais être
pareilles à celles qui ne savaient pas. Elle y était
allée elle aussi, une nuit, elle avait treize ans.
Personne ne se parlait, les choses se faisaient
dans le silence. Contre les masses de pierres il y
avait des cabines. Ils étaient adossés aux parois
des cabines, l'un en face de l'autre. Ç'avait été

102

très lent, avec ses doigts d'abord il avait pénétré et puis avec sa verge ensuite. Dans le désir il parlait de Dieu. Elle s'était débattue contre. Il l'avait tenue entre ses bras. Il lui avait dit de ne pas avoir peur. Le lendemain, elle avait été tentée de parler à sa mère de sa visite à ces gens des passages. Mais il lui avait paru pendant le dîner que celle-ci ne devait pas être sans savoir déjà à propos de son enfant. L'enfant n'ignorait pas jusque-là que sa mère connaissait l'existence de ce lieu. Elle en parlait en effet, elle avait dit une fois qu'il fallait éviter d'aller de ce côté-là de la plage une fois la nuit venue. Ce que l'enfant n'avait pas su avant ce soir-là, c'était si cette femme avait elle aussi franchi cet équateur de l'autre versant. C'était au regard de la mère sur son enfant, ce soir-là, à ce silence entre elles, à ce rire caché qui traversait le regard de connivence inavouable qu'elle l'avait appris. Elles étaient les mêmes sur le point de ce qui se passait à cet endroit de la nuit.

Chaque soir elle amène son corps dans la chambre, elle défait ses vêtements, elle le place au milieu de la lumière jaune. Se recouvre le visage de la soie noire.

C'est alors qu'elle serait supposée s'être endormie qu'il regarde ce que l'autre homme a fait sur le corps : souvent des blessures, mais très légères, involontaires. Ce jour-là, le parfum de l'homme est très fort, il est modifié par l'odeur de la sueur, celle de la cigarette, celle du fard. Il soulève la soie noire. Le visage est défait.

Il embrasse les yeux fermés. Il ne remet pas la soie noire.

Elle se tourne vers lui, on croirait qu'elle va le regarder mais non, elle n'ouvre pas les yeux, elle se détourne.

Dans la nuit, loin du jour encore, pendant les passages des gens de la plage, elle lui pose une question qu'elle voulait lui poser il y a de cela plusieurs nuits.

— Vous vouliez dire que payer le temps passé dans la chambre c'était payer du temps perdu. Perdu par une femme ?

Il se souvient mal d'abord, puis il retrouve.

— Du temps perdu pour l'homme aussi, du temps qui ne servait plus à rien pour l'homme.

Elle lui demande de quoi il parle. Il dit :

— Comme vous, de notre histoire, de la chambre. Il dit : La chambre ne sert plus à rien, tout est immobile dans la chambre.

Il doit se tromper. Il n'a pas dû envisager, jamais, que cela puisse servir à quelque chose. A quoi cela aurait-il servi ? Elle dit :

— Vous avez dit que la chambre était pour obliger à rester là, près de vous.

Il dit que c'est vrai lorsqu'il s'agissait de jeunes prostitués mais qu'ici ce n'était pas le cas.

Il ne cherche plus à comprendre. Elle ne cherche plus non plus. Elle dit :

— C'était aussi pour les obliger à partir une fois le délai passé, à vous laisser.

— Peut-être. Je me suis trompé, je ne voulais rien.

Elle le regarde longuement, et par le regard elle le prend, le garde en elle enfermé jusqu'à la douleur. Il sait que ça lui arrive. Et aussi que cela ne le regarde pas. Elle dit :

— Vous n'avez jamais rien voulu peut-être.

Il est intéressé tout à coup. Il demande :

— Vous croyez.

— Je crois, jamais.

C'est un homme qui ne s'aperçoit pas de qui parle de lui ou de l'autre, de qui répond aux questions d'où qu'elles viennent, de lui tout aussi bien.

— C'est possible. Jamais rien.

Il attend, il réfléchit, il dit : Peut-être que ce qu'il y a c'est ça, c'est que je ne veux jamais rien, jamais.

Tout à coup elle rit.

— Nous pourrions partir ensemble si vous le voulez, moi non plus je ne veux rien.

Il rit comme elle, mais dans une sorte d'incertitude et de peur, tout comme il ferait s'il venait d'échapper à un danger ou bien à une chance mais qu'il n'aurait pas demandée et à laquelle il n'aurait pas pu échapper.

C'est dans le silence qui suit que tout à coup elle le lui dit. Elle dit qu'il est son amant : Vous êtes mon amant pour cette raison que vous avez dite, que vous ne voulez rien.

Il a le geste brusque de se protéger le visage avec sa main. Puis sa main retombe. Et chacun baisse les yeux. Ils ne se regardent pas, le sol peut-être, le blanc des draps. Ils sont dans la crainte que leurs yeux se regardent. Ils ne bougent plus. Ils sont dans la peur que leurs yeux se voient.

Elle écoute, ça vient des masses de pierres et de la plage qui est devant la chambre. Il s'est produit un silence inhabituel. Ils se souviennent qu'un moment plus tôt une dizaine d'hommes sont passés près des murs. Et soudain voici les coups de sifflet qui éclatent, les cris, les bruits de course. Il dit : La police, il y a des chiens.

Au hasard de cette phrase, son regard à lui passe sur elle. Leurs yeux se regardent pendant un temps aussi bref que celui, par exemple, de la projection d'un éclat de vitre dans le soleil de la chambre. Sous le coup de ce regard, leurs yeux se sont brûlés, ils fuient et se ferment. Dans le cœur le bruit s'apaise, il va au silence.

Elle a détourné son visage, elle l'a recouvert de la soie noire. Il la regarde faire. Il dit :

— Vous avez menti sur la jouissance avec cet homme.

Elle ne répond pas : elle a menti.

Il crie, il demande comment était cette jouissance avec cet homme.

Elle sort du sommeil mais elle reste les yeux fermés. Elle répète :

— A en perdre la vie.

Il ne bouge plus. Sa respiration s'arrête. Il a fermé les yeux pour mourir. Elle le regarde. Elle pleure. Elle dit :

— C'était une jouissance suffocante.

La respiration revient. Il ne dit rien, toujours.
Elle dit :

— Comme avec toi.

Il pleure des sanglots. Il sort sa jouissance de
lui-même. Sur sa demande elle le regarde faire.
Il appelle un homme, il lui dit de venir, de venir
près de lui en ce moment même où il va jouir à
la seule idée de ses yeux. Comme lui elle appelle
cet homme, elle lui dit de venir, elle se tient dans
la direction de son visage à lui, très près de sa
bouche, de ses yeux, déjà dans le souffle de ses
cris, de ses appels, mais sans le toucher du tout,
comme si à le faire elle eût risqué de le tuer.

Une nuit, il découvre qu'elle regarde à travers
la soie noire. Qu'elle regarde avec les yeux fermés. Que sans regard elle regarde. Il la réveille,
il lui dit qu'il a peur de ses yeux. Elle dit que
c'est de la soie noire qu'il a peur, pas de ses yeux.
Et qu'au-delà il a peur d'autre chose encore. De
tout. Peut-être de ça.

Elle se détourne de lui, elle se tourne vers le
mur de la mer.

— C'est comme ce bruit à travers la pierre, on

dit que c'est celui de la mer, alors que c'est le bruit de notre sang.

Elle dit : Quelquefois en effet je vous regarde à travers l'écharpe noire, mais ce n'est pas ça dont vous parlez. Ce que vous voulez dire, je crois, c'est que vous ne savez pas quand je le fais parce que mon visage est devenu une chose incertaine, entre la soie et la mort. Vous commencez à le connaître, et il a commencé à se perdre à vos yeux.

Elle dit : Ce n'est pas quand j'ai les yeux ouverts dans la direction de votre visage que je vous vois comme vous avez peur que je le fasse, c'est quand je dors.

Elle rit. Elle l'embrasse et elle rit.

Il dit :

— Ce n'est pas lui que vous voyez la nuit dans vos rêves.

Le rire cesse. Elle le regarde comme si elle l'avait encore oublié. Elle dit :

— C'est vrai, ce n'est pas encore lui. Ce n'est encore personne de précis. C'est long à revenir dans les rêves, les choses importantes.

Elle lui demande pour ses nuits à lui ce qu'il en est. Il dit que c'est toujours pareil, qu'il brasse la terre entière à la recherche de cet amant. Mais,

comme pour elle, la nuit, il n'apparaît pas encore.
Il lui demande si elle a commencé à oublier. Elle
dit :

— Peut-être les traits du visage, mais ni les
yeux ni la voix ni le corps.

Et lui, commence-t-il à oublier ?

Non. Il dit : Il s'agit d'une image fixe qui
restera là jusqu'à votre départ.

Elle est allongée dans l'or de la lumière
jaune, dit l'acteur, droite, ses seins au-
dehors de son corps, beaux, du marbre
clair.

Si elle parlait, dit l'acteur, elle dirait :
Si notre histoire se jouait au théâtre, tout
à coup un acteur viendrait au bord de la
rivière, de la lumière, très près de vous et
de moi qui suis à côté de vous. Mais il ne
regarderait que vous seul. Et ne parlerait
que pour vous seul. Il parlerait comme
vous auriez parlé si vous aviez eu à le
faire, lentement et sans éclat, comme s'il
lisait de la littérature en quelque sorte.
Mais une littérature dont il serait conti-

nuellement distrait du fait de l'attention qu'il devrait mettre à ignorer la présence de la femme sur la scène.

La tempête s'est endormie avec le vent. La mer est loin, les passages ont commencé. Ce soir il y a quelques cavaliers.

Depuis qu'elle est là, chaque nuit il sort de la chambre, il va sur la terrasse, il regarde. Parfois il descend sur la plage.

Il reste jusqu'à la disparition des passages.

Quand il revient, elle ne dort pas. Il donne des nouvelles. Le vent est tombé et ce soir quelques cavaliers sont passés le long de la mer. Elle connaît les cavaliers. Elle leur préfère les hommes des files indiennes, ils vont là avec une raison de le faire aussi inévitable que leur destinée. Les cavaliers ne font pas partie des passages.

Ils se mettent à pleurer. Les sanglots sortent de leurs corps. On dirait qu'ils ont bu. Elle est près de lui, presque contre sa peau. Ils sont dans un bonheur qu'ils ne connaissaient pas encore. Celui d'être ensemble devant la tempête immobile. Et de rire de pleurer aussi bien. Il voudrait qu'elle pleure comme lui il pleure. Il voudrait que les sanglots sortent de leurs corps sans qu'ils sachent pourquoi. Il pleure tandis qu'il le lui demande. On dirait qu'il a bu. Elle pleure à son tour et elle rit avec lui de sa demande. Il découvre qu'il n'a pas assez pleuré jusque-là dans sa vie. Il a fallu qu'ils se rencontrent pour que ce soit possible.

Elle dit qu'ils ne sont plus aussi inconnus l'un à l'autre maintenant qu'il a parlé des pleurs. Elle s'allonge.

Ils pleurent comme ils s'aimeraient. Il dit que ça l'aide à supporter sa présence dans cette chambre, l'idée de ça, d'une femme qui attend un homme de la ville.

Pendant le spectacle, dirait l'acteur, une fois, lentement la lumière baisserait et la lecture cesserait.

Les acteurs quitteraient le centre de la scène et ils regagneraient le fond de celle-ci, là où il y aurait les tables, les chaises, les fauteuils, les fleurs, les cigaret-

tes, les carafes d'eau. D'abord ils resteraient là, à ne rien faire, ils fermeraient les
yeux, la tête renversée sur le dossier de
leur fauteuil, ou ils fumeraient, ou ils
feraient des exercices respiratoires, ou ils
boiraient un verre d'eau.

Après s'être recouverts le corps d'un
vêtement, les deux héros resteraient im-
mobiles et silencieux de même que les
acteurs.

Très vite une immobilité totale s'em-
parerait d'eux, de la scène devenue bleue
— de ce bleu laiteux de la fumée de
cigarette dans la pénombre. Il s'agirait
d'un repos, d'une reprise de forces à
travers la plongée dans le silence. Il
devrait sembler qu'on entende encore
l'histoire alors qu'elle aurait cessé d'être
lue. C'est à l'étendue de ce silence-là que
l'on devrait mesurer la portée de la lecture qui vient d'être opérée tant dans son
énoncé que dans son écoute.

Pendant cinq minutes la scène resterait
figée dans le sommeil, elle serait occupée
par des gens endormis. Et c'est ce sommeil lui-même qui deviendrait le specta-

cle. On entendrait une musique, elle serait classique, on la reconnaîtrait parce qu'elle aurait déjà été entendue avant le spectacle et encore avant, dans la vie. Elle serait lointaine, elle ne gênerait pas le silence, tout au contraire.

Le retour au jeu se ferait à partir de la remontée de la lumière, la fin de la musique. Les acteurs seraient les derniers à nous revenir, ils seraient lents à le faire.

Sur la terrasse. Il ne fait pas froid.

Le ciel est recouvert d'une brume épaisse. Il est plus clair que le sable, que la mer. La mer est encore dans le noir, elle est très proche. Elle lèche le sable, elle avale, elle est douce, fluviale.

Il ne l'a pas vu arriver.

C'est un bateau de plaisance, blanc. Ses ponts sont éclairés et vides. La mer est tellement calme, les voiles sont repliées, le ralenti du moteur est très doux, de la légèreté d'un sommeil. Il avance sur la plage, il va au-devant du bateau. Il l'a aperçu d'un seul coup, comme au sortir du noir, il ne l'a vu que lorsqu'il a été devant lui.

114

Il n'y a personne d'autre que lui sur la plage. Personne d'autre ne voit le bateau.

Le bateau tourne et passe le long de son corps, c'est comme une caresse infinie, un adieu. C'est long avant que le bateau rejoigne le chenal. Il retourne sur la terrasse pour mieux le suivre des yeux. Il ne se demande pas ce que ce bateau fait là. Il pleure. Après qu'il est passé, il reste encore là à pleurer le deuil.

Le jeune étranger aux yeux bleus cheveux noirs est parti pour toujours.

C'est longtemps après qu'il revient dans la chambre. Il voudrait tout à coup ne jamais revenir nulle part. Il reste le corps contre le mur extérieur de la maison, agrippé aux pierres, à croire que c'est possible qu'il ne rentre jamais plus nulle part. Il rentre.

Dès la porte passée, ce parfum de l'autre homme.

Elle est là, dans ses propres ténèbres, plongée dans cette odeur, par lui privée d'amants.

Il s'allonge près d'elle, éreinté tout à coup, et puis il ne bouge plus. Elle ne dormait pas. Elle prend sa main. Elle devait l'attendre, à peine, mais déjà souffrir, elle garde la main. Il la lui laisse. Depuis quelques jours sa main ne se retire pas lorsqu'elle la prend. Elle dit qu'elle pensait qu'il était sur la terrasse, qu'il n'était pas parti loin de la maison comme l'autre nuit. Elle dit que cette nuit-ci elle ne l'aurait pas cherché, elle l'aurait laissé partir, laissé mourir tout aussi bien, elle ne dit pas pourquoi. Il ne cherche pas à comprendre ce qu'elle dit, il ne répond pas. Il reste réveillé longtemps. Elle le voit tourner dans la chambre, il cherche à fuir, à mourir. Il l'a oubliée. Elle le sait. Quand elle quitte la chambre, il s'est endormi à même le sol.

Si elle parlait, dit l'acteur, elle dirait : Si notre histoire se jouait au théâtre, un acteur irait au bord de la scène, au bord de la rivière de lumière, très près de vous et de moi, il serait habillé de blanc, il serait dans une concentration très grande de son attention, intéressé par lui-même au plus haut degré, tendu vers la salle comme vers lui-même. Il se présenterait comme l'homme de l'histoire, l'homme, dirait-on, dans son absence centrale, son irréversible extériorité. Il regarderait, comme vous avez tendance à le faire, vers l'extérieur des murs, comme si c'était possible, dans la direction de la trahison.

Il est sur la terrasse. Le jour commence à peine.

Au bord de la mer, les passages.

Il ne lui a pas parlé du bateau blanc.

Les gens des passages crient des mots brefs à voix aiguë, ces mots sont répétés par certains puis ils sont abandonnés, des avertissements sans doute, des consignes de prudence. La police fait des rondes.

Après les cris il ne reste que la rumeur de la nuit.

Il revient dans la chambre. Elle était là, derrière l'épaisseur des murs. Il oublie presque son existence chaque fois qu'il revient de la mer.

Au loin dans le sommeil elle a dû entendre qu'on ouvrait la porte, l'engouffrement de la rumeur. Elle doit maintenant entendre que très doucement on la ferme, puis que l'on marche, le bruit des pas sur le sol, et que l'on s'assied le long du mur, elle doit le percevoir aussi. Reste à peine l'essoufflement léger qui suit l'effort. Puis plus rien que cette même rumeur de la nuit assourdie par les murs.

Peut-être ne dort-elle pas. Il ne veut pas la réveiller, il s'en empêche, il la regarde. Le visage est à l'abri, sous la soie noire. Seul le corps nu est dans la lumière jaune, martyr.

Parfois, aux environs de cette heure-là, avec la venue du jour le malheur survient. Il la découvre sous la lumière jaune et il veut frapper le corps qui dort d'un faux sommeil, qui trouve comment s'y prendre pour désobéir, voler l'argent.

Il se rapproche d'elle, il regarde l'endroit de la phrase qui le ferait la tuer, là, au bas du cou, dans les réseaux du cœur.

La phrase aurait trait au bateau, quel qu'en soit le sens elle appellerait la mort.

Il s'allonge près d'elle. La soie noire est tombée sur l'épaule. Les yeux s'ouvrent, les yeux se referment, elle se rendort. Les yeux s'ouvrent, aveugles, pendant un long moment, mais pour rien, pour encore se refermer et reprendre le voyage vers la mort.

Et puis, à la fin de la nuit, les yeux sont restés ouverts.

Elle ne dit pas la phrase qu'il attend pour la tuer. Elle se dresse, elle écoute. Elle demande : Ce qu'on entend, c'est quoi ?

Il dit que c'est le bruit de la mer et celui du vent qui se heurtent, que ce sont des échos de choses humaines jamais encore entendues, de rires, de cris, d'appels qui auraient été jétés d'un bord à l'autre du temps, quand on ne savait rien, et qui, cette nuit, atteindraient la plage qui est là, devant la chambre.

Cette histoire ne l'intéresse pas. Elle se rendort.

Elle n'a manifestement pas vu le bateau. Elle n'a pas entendu son bruit. Elle ignore tout du bateau parce que simplement elle dormait lorsqu'il est passé. Tant d'innocence le fait lui prendre la main et l'embrasser.

Elle ignore être devenue celle qui ne sait pas pour le bateau. Cependant, déjà, elle est prévenue de quelque chose de cette irruption du bateau dans leur vie. Par exemple, elle ne la regarde pas quand il embrasse sa main.

Cette nuit, elle s'endormira dès qu'elle arrive.

Il ne défera pas son sommeil, il le laissera aller. Il ne lui demandera pas si elle a revu l'homme de la ville une nouvelle fois, il sait qu'elle l'a revu. C'est toujours à certaines preuves, à la fraîcheur de certaines meurtrissures sur ses seins, ses bras, qu'il le sait, au vieillissement de son visage, à son sommeil sans rêve, à sa pâleur. A cette fatigue insurmontable à la fin de la nuit, à cette désolation, à cette tristesse sexuelle qui font les yeux tout avoir vu du monde.

Il a laissé la porte ouverte. Elle dormait, il est parti, il a traversé la ville, les plages, le port des yachts du côté des pierres.

Il revient au milieu de la nuit.

Elle est là, contre le mur, dressée, elle est loin de la lumière jaune, habillée pour partir. Elle pleure. Elle ne peut pas s'arrêter de pleurer. Elle dit : Je vous ai cherché dans la ville.

Elle a eu peur. Elle l'a vu mort. Elle ne veut plus venir dans la chambre.

Il va près d'elle, il attend. Il la laisse pleurer comme s'il n'était pas la cause des pleurs.

Elle dit : Même de ces chagrins-là, de ces amours dont vous dites qu'ils vous tuent, vous ne savez rien. Elle dit : Savoir de vous, c'est ne rien savoir du tout. Même de vous, vous ne savez rien, même pas que vous avez sommeil ou que vous avez froid.

Il dit : C'est vrai, je ne sais rien.

Elle répète : Vous ne savez pas. Savoir comme vous, c'est sortir dans la ville et toujours croire qu'on va revenir. C'est faire des morts et oublier.

Il dit : C'est vrai pour les morts.

Il dit : Maintenant je supporte votre présence dans la chambre même quand vous criez.

Ils restent là, à se taire, un long moment tandis que le jour vient et, avec lui, le froid pénétrant. Ils se recouvrent des draps blancs.

Elle lui dit que cet autre homme la questionne aussi sur la chambre. Elle dit : Moi, en retour, je le fais aussi, je lui demande d'où vient que vous sachiez si peu de vous-même. Que vous ignoriez à ce point ce que vous faites, et pourquoi vous le faites. Pourquoi vous m'avez mise dans cette chambre. Pourquoi vous voulez me tuer alors qu'à cette idée vous avez si peur. Il m'a dit que ce n'était rien, que tout le monde était plus ou moins comme vous. Que la seule chose grave, c'était moi face à vous.

Elle lui avait dit qu'elle pouvait aussi désirer

ces hommes-là, qu'elle avait moins de désir pour eux que pour les autres hommes, mais que peut-être l'amour était plus seul, plus pur, plus à l'abri des autres désirs, des erreurs de rencontre. Que ce malheur d'être repoussante devenait plausible dans certaines circonstances de la vie, celles justement de la passion dans laquelle elle avait été emportée cet été-ci.

La colère est partie. Ses mains se lèvent vers son visage et le caressent. Elle a remis la soie noire de la paix. Elle dit :

— Si vous n'étiez pas revenu, je serais allée de nouveau avec les gens des masses de pierre, la nuit, pour être avec eux, aller sans savoir, revenir pareil. Les regarder mettre leur verge dans la main de la petite fille et pleurer les yeux fermés.

Elle dit :

— Rien ne peut venir du dehors de vous et de moi pour nous apprendre.

— Aucune connaissance, aucune ignorance ?

— Aucune. Il y a des gens comme ça, fermés, qui ne peuvent apprendre de personne. Nous par exemple, nous ne pouvons apprendre quoi que ce soit, ni moi de vous ni vous de moi, ni de personne, ni de rien, ni des événements. Des mules.

Quel que soit le nombre de siècles qui recouvrira l'oubli de leurs existences, cette ignorance aura existé comme elle est là, en ce moment même, à cette date-là, dans cette lumière froide. Ils le découvrent, ils en sont enchantés.

Et aussi que dans mille ans il y aura mille ans que ce jour-ci aura existé, jour pour jour. Que cette ignorance de la terre entière de ce qu'ils auraient dit aujourd'hui sera datée. Sans mots, sans encre pour l'écrire, sans livre pour le lire, datée. Ils en sont enchantés de même.

Elle dit : Ainsi tout ce qu'il y a est là, dans la chambre. Elle désigne de sa main à plat le sol dallé, les draps, la lumière, les corps.

Elle dort d'un sommeil de jeunesse, entêté et régnant.

Elle est devenue celle qui ne sait pas que le bateau est passé.

Il pense : Comme mon enfant.

Parfois il enlève la soie noire de dessus le visage. A peine le corps remue-t-il, le sachant bien qu'il le fait mais n'arrivant pas à soulever le sommeil.

Sur le visage, l'éclaboussement presque disparu des rousseurs de l'été. Il regarde. Il regarde bien, comme chaque soir. Parfois il ferme les yeux pour éloigner l'image, la figer dans la photographie de vacances avec d'autres que lui. Mais sans doute est-ce déjà trop tard pour l'isoler de sa vie auprès de lui.

Seule dans la chambre, la dépouille souple et longue des draps blancs. Séparée d'elle, la forme de l'étrangère assise sur le sol, la tête posée sur les bras repliés. Les bras cachant les yeux. Près d'elle sa forme à lui, allongée, loin des draps, loin d'elle. Jusqu'au jour ils restent ainsi entre les pleurs, le sommeil, les rires et de nouveau les pleurs, la vie, la mort.

Elle dit : Cette difficulté que vous avez, elle a toujours été là dans ma vie, inscrite au plus profond de ma jouissance avec les autres hommes.

Il lui demande de quoi elle parle. Elle parle de cette impossibilité, de ce dégoût qu'elle lui inspire. Elle dit que ce dégoût d'elle-même, elle le partage avec lui. Et puis que non, ce n'est pas le dégoût. Non, le dégoût est inventé.

Elle, elle croit que c'est la chose qui est arrivée

124

dans cette chambre comme elle serait arrivée ailleurs, cet événement universel qu'ils ne peuvent pas connaître, qu'ils ne connaîtront jamais, qui serait cachée par des ressemblances avec d'autres choses mais de si près que personne, en toute certitude, n'avait pu en isoler l'existence en tant que donnée générale de l'homme.

Tous les hommes ? il demande.

Tous. Elle ajoute : Vous avez raison.

Il s'est allongé dans la flaque des draps blancs au centre de la chambre. A son tour elle le regarde. Elle l'appelle. Ils pleurent. Le calme revient sur la mer, dans la chambre. Elle dit qu'elle l'aime au-delà de lui-même, qu'il ne doit pas avoir peur.

Il lui demande si elle a revu l'homme de la ville.

Elle l'a revu.

C'est un homme qui va dans ces bars qui ouvrent tard l'après-midi, ils sont sans fenêtres, les portes sont fermées, il faut frapper pour entrer. C'est ce qu'elle sait de cet homme, qu'il doit être riche et qu'il ne travaille pas lui non plus. Ils vont dans la chambre qui est à l'étage, celle qui est réservée aux hommes entre eux.

Quelquefois aussi elle va dans une chambre louée par lui dans un hôtel. Elle y reste jusqu'au soir et elle y revient une fois la nuit passée. Elle lui apprend qu'elle a donné congé à l'hôtel où elle habite d'habitude pendant l'été, que ça faisait trop d'endroits. Elle dit :

— A la fin, je me trompais.

Il ne rit pas.

Elle a enlevé la soie noire. Ils regardent son corps. Elle a oublié qu'il est le sien, elle le regarde comme lui le fait.

Il questionne sur l'autre homme.

Elle dit qu'il frappe aussi. Ils regardent les endroits de son corps que cet autre homme a frappés. Elle dit qu'il l'aime et qu'il l'insulte avec les mêmes mots, que c'est ainsi souvent avec les hommes, qu'elle le leur demande. Mais que ce n'est pas toujours que ça se produit dans une pareille similitude. Elle dit : Entre toi et lui. Il lui demande de répéter les insultes. Elle le fait. Sa voix se voudrait neutre, objective. Il demande ce qu'il dit encore. Elle répète :

— Il dit que rien n'est comparable. En rien et en totalité.

Il demande de quoi il parle de la sorte. Elle dit : De la chose intérieure. C'est ce qu'il croit, il croit parler de ça. Lui, cet homme de la ville, il appelle cette chose intérieure le lieu de la jouissance. Il pénètre avec beaucoup de savoir et de folie, il aime jouir. Aimer, il aime aussi à la folie, de même. Il est possible qu'il éprouve pour elle un certain sentiment, facile et sans lendemain, mais il ne le confond pas avec le désir de son corps. Jamais il ne lui en parle. A la place, il dit qu'il a toujours peur pour sa beauté dans cette chambre sans soleil qu'elle lui raconte, qu'elle y perde le bleu, fabuleux, il dit, de ses yeux, la douceur de sa peau. Elle dit que parfois il frappe à cause de lui, de cet homme qui l'attend dans la chambre. Mais que c'est d'envie de jouir qu'il frappe, d'envie de tuer comme c'est naturel. Elle sait qu'il va dans les masses de pierres. Elle dit qu'il tourne en ce moment autour de son histoire à elle, qu'il va aux masses de pierres pour y chercher des petites filles qui prennent sa verge dans les mains. Elle dit : Il va ainsi se charger de douleur pour me prendre moi le soir dans la chambre d'hôtel.

Elle dit qu'elle voudrait bien qu'il lui parle à son tour des choses qui lui arrivent. Il dit qu'il ne lui arrive rien. Jamais. Que l'idée. Elle dit que c'est pareil. Il ne répond pas, il ne sait pas répondre.

Cet homme dit que ce qui fait jouir c'est la tête géniale, que sans elle le corps ne sait pas.

Elle lui dit qu'elle lui donne tout ce qu'elle vient de lui raconter, pour qu'il en fasse ce qu'il veut la nuit lorsqu'il est seul.

Elle dit que des insultes dont cet homme use à l'égard de certaines femmes il en est comme d'une culture profonde.

Il lui demande ce qu'elle préfère, il ne dit pas entre quoi et quoi. Elle dit :

— La répétition de l'insulte à l'instant précis où elle a été proférée la première fois, quand la brutalité apparaît sans que l'on sache encore ce qu'elle sera.

Elle allume les lampes de la chambre. Et elle se couche d'elle-même au centre de la lumière, dans les draps qu'elle a traînés. Elle s'allonge, recouvre le visage. Elle se tait d'abord. Puis elle parle. Elle dit :

— Nous ne savons rien, ni vous ni moi. Ce que nous savons, c'est que cette différence, cet empêchement que vous éprouvez pour moi, il est là pour cacher une chose qui a trait à la vie.

Un soir au bord de la scène, de la rivière, dirait l'acteur, elle dirait : Il pourrait se produire comme un changement de l'équipe des acteurs, comme cela se passe pour le personnel des casinos, des sous-marins, des usines. Ce glissement des acteurs se ferait dans un mouvement silencieux, léger. Les nouveaux acteurs seraient comme arrivés dans l'après-midi, ils seraient jamais encore vus et tous ils ressembleraient à cet homme, le héros.

Eux ils viendraient jusqu'à elle, jusqu'à son corps couché dans les draps, comme il est maintenant, avec le visage caché sous la soie noire. Et elle, elle l'aurait perdu, elle ne le reconnaîtrait plus dans ces nouveaux acteurs et elle en serait désespérée. Elle dirait : Vous êtes très près d'une idée générale de l'homme, c'est pourquoi vous êtes inoubliable, c'est pourquoi vous me faites pleurer.

Il dort.

Depuis quelques jours il se laisse aller au sommeil plus facilement. La méfiance est moins grande. Les premiers jours, souvent il allait dormir dans la maison fermée. Maintenant, au retour de la terrasse, il lui arrive de dormir devant elle, de ne pas crier lorsqu'elle s'approche de lui.

Il se réveille. Il dit comme pour s'excuser :

— Je suis fatigué, comme si j'étais en train de mourir.

Elle dit que ce n'est rien, que c'est de vivre la nuit qui fatigue, qu'il lui faudrait tôt ou tard retrouver la lumière du jour, diminuer les heures de nuit.

Il la regarde, il dit :

— Vous n'avez pas l'écharpe noire.

Non, elle ne la met pas pour le regarder pendant qu'il dort.

Elle s'allonge près de lui. Ils sont réveillés tous les deux. Rien ne se touche, pas même les doigts. Il lui demande de dire comment était la verge de l'homme des masses de pierres. Elle dit qu'elle ressemblait à un objet du début du monde, grossier et laid, qu'elle était pétrifiée dans l'état du désir, toujours pleine et dure, pénible comme une plaie. Il demande si le souvenir est douloureux. Elle dit qu'il était fait d'une douleur très vive mais obscurcie par la jouissance emportée par elle dans son flot, devenue jouissance à son tour. Mais séparée, et différente.

Il attend qu'elle dorme. Il approche son corps du sien, il le met contre. Il reste là. Elle ouvre les yeux le temps de le reconnaître et elle se rendort. Elle sait que souvent il la regarde, la nuit, pour s'habituer. Surtout au retour d'avoir vu cet homme de la ville, quand elle dort d'un sommeil harassé.

Son corps, contre soi, est tiède. Il reste contre elle, son corps touché au sien, immobile, dans son bienfait. La tiédeur devient commune, la peau, la vie intérieure.

C'est un homme qui ne se demande pas pourquoi, ce soir, il peut souffrir ce corps si près du sien. Qui ne se demande jamais le pourquoi de son état, qui attend de devenir, de dormir, qui attend de même la nuit, le jour, le plaisir. Qui tout à coup est sur elle sans peut-être l'avoir décidé, distrait de lui-même, hors de ses murs.

Il se retournera. Il recouvrira son corps avec le sien, il le ramènera vers lui, dans l'axe du sien, et lentement il s'enlisera dans la vase chaude du centre.

Là il reste sans bouger. Il attendra sa destinée, le vouloir de son corps. Il attendra le temps qu'il faudra.

Le temps d'y penser, l'idée se déclare, brutale, dans un cri d'agonie. Elle cesse. Dans la lente retombée de son corps le long du sien, le cri s'inscrit, très bref, arrêté dans la rage, égorgé par.

Il restera là. Puis il se retournera contre le mur pour toujours. Il insultera encore. Il ne pleurera pas.

Elle reste sous la lumière jaune, elle ne le regarde pas, elle l'a oublié. Longtemps ils se taisent.

Il dit que c'est à elle de dire pourquoi ce n'est pas possible.

Elle, elle ne sait plus comment c'est possible. Elle dit qu'elle est sans plus de désir pour aucun homme, de la laisser.

Il dit : C'est peut-être cet endroit, cette chambre qu'elle lui a volée.

Non, ce n'est pas la chambre, elle ne le croit pas. C'est Dieu, elle croit. Celui qui fait les camps de concentration, les guerres. Elle dit : Il faut laisser tomber.

Elle l'appelle, elle pleure.

Elle se lève. Elle marche dans la chambre.

Elle dit que c'est peut-être la mer qui ne les quitte pas, qui est toujours là avec son bruit, si près quelquefois que c'est à fuir, que c'est cette lumière décolorée, funeste, cette lenteur du jour à gagner le ciel, ce retard qu'ils prennent sur le reste du monde avec cet amour-là.

Elle regarde autour d'elle dans la chambre, elle se met à pleurer. A cause de cet amour, elle dit. Elle s'arrête encore. Elle dit que c'est terrible de vivre comme ils vivent. Elle s'adresse à lui, tout à coup. Elle crie qu'on ne peut rien lire dans la maison, qu'il n'y a même pas ça, des choses à lire, qu'il a tout jeté, les livres, les revues, les journaux, qu'il n'y a plus ni la télévision ni la radio, qu'on ne sait pas ce qui se passe dans le monde, ni même autour de soi très près, qu'on ne sait plus. Que vivre comme ils vivent, mieux vaut mourir. Elle s'arrête encore devant lui, elle le regarde, elle pleure, elle répète : A cause de cet amour qui a tout pris et qui est impossible.

Elle s'arrête. Il l'a écoutée. Il ne rit pas. Il demande :

— Vous parlez de quoi ?

Elle est confuse, elle dit :

— J'ai parlé sans penser, je suis très fatiguée.

Elle dit : Je ne me suis jamais posé la question.

Il s'est relevé. Il la lève vers lui. Il embrasse sa bouche. Le désir, dans la défaite, fou, ils en tremblent.

Ils se séparent. Il dit :

— Je ne savais pas à ce point-là.

Ils restent debout dans la chambre, les yeux fermés, sans paroles.

A une certaine heure de la nuit il n'y a plus aucun bruit autour de la maison. A la marée basse à cette distance de la chambre, on entend seulement le battement espacé du ressac, sans écho aucun. Dans cette trêve il n'y a plus les aboiements des chiens ni la ferraille des camions. C'est après les derniers passages des gens, aux approches du jour, que les heures se vident de toute substance jusqu'à devenir des espaces nus, des sables de pure traversée. Le souvenir du baiser est alors très fort, il brûle leur sang, il fait qu'ils ne parlent pas, ils ne peuvent pas.

C'est à cette heure-là de la nuit que d'habitude elle bouge. Aujourd'hui, non, elle craint sans doute la proximité du jour et le calme qui l'accompagne.

Le baiser est devenu la jouissance. Il a eu lieu. Il s'est joué de la mort, de l'horreur de l'idée. Il n'a été suivi d'aucun autre baiser. Il occupe le désir tout entier, il est à lui seul son désert et son immensité, son esprit et son corps.

Elle est dans la flaque blanche des draps à la portée de sa main, le visage découvert. Le baiser fait leurs corps plus proches que ne le fait la nudité, la chambre.

Voici, elle se réveille. Elle dit :

— Vous étiez là.

Elle regarde autour de lui, la chambre, la porte, son visage, son corps.

Elle lui demande si cette nuit-ci l'idée lui est encore venue de la tuer. Il dit :

— L'idée m'est encore venue mais comme celle d'aimer.

Du baiser, ils ne parleront pas.

Elle est dans son premier sommeil.

Il sort, il va dans le sens inverse des masses de pierres, le long des grands hôtels qui bordent la plage.

Il n'y est jamais revenu. De crainte sans doute d'être reconnu par des témoins comme étant le véritable auteur d'un scandale — il le croit maintenant — qui s'était produit là ce soir d'été. Il retrouve la place où il était près de la fenêtre ouverte face à celle du jeune étranger aux yeux bleus cheveux noirs. Le hall est fermé de toutes parts. Les meubles sont anglais. Des fauteuils, des tables d'acajou sombre. Il y a beaucoup de fleurs remisées dans ce calme à l'abri du bruit et du vent. Il imagine bien l'odeur des fleurs enfermées, celle d'une chaleur solaire maintenant prise au froid.

Derrière les vitres des baies, dans le même silence, le ciel en mouvement, la mer.

Il la désire, elle, la femme de ce café au bord de la mer. Il ne l'a pas embrassée depuis l'autre soir. Ce baiser de leurs bouches s'est répandu dans tout son corps. Il est en lui entièrement retenu, comme un secret entier, un bonheur qu'il faut sacrifier de crainte, de crainte qu'il ait un devenir. C'est l'idée de ce baiser qui le conduit à celle de sa mort. Il pourrait ouvrir le hall et mourir là d'une quelconque façon, ou y dormir dans la tiédeur de serre.

Quand il rentre, elle est là, à sa place, allongée. Elle regarde vers lui sans le voir, les yeux vides. Elle est dans une colère qu'il ne connaît pas, sourde, méchante. Elle dit :

— Vous voudriez disposer de l'idée de Dieu comme vous le feriez d'une marchandise, la répandre partout, criarde et vieille, comme si Dieu avait besoin de vos services.

Il ne répond pas. C'est un homme qui ne répond pas.

Elle continue : Quand vous pleurez, vous pleurez de ne pas imposer Dieu. De ne pas pouvoir voler Dieu et le dispenser.

La colère s'évanouit, le mensonge. Elle s'allonge, recouvre son corps avec les draps et son visage avec la soie noire. Elle pleure sous la soie noire. Elle dit en pleurant :

— C'est vrai, vous ne parlez jamais de Dieu non plus. Elle dit : Dieu, c'est cette loi, celle de toujours et de partout, ce n'est pas la peine d'aller le chercher la nuit en vous déplaçant du côté de la mer.

Elle pleure. Il s'agit d'un état de la peine profonde et découragée, qui ne fait pas souffrir, qui se pleure plutôt qu'elle ne se dit, qui peut aller de pair avec un certain bonheur. Et dont il sait, lui, qu'il ne pourra jamais l'aborder.

Elle le réveille.

Elle dit qu'elle est en train de devenir folle.

Elle dit : Vous dormiez, tout était calme. J'ai regardé votre visage et ce qui s'y passait pendant que vous dormiez. J'ai vu que vous alliez d'épouvante en épouvante tout au long de la nuit.

Elle parle les yeux détournés vers le mur. Elle ne s'adresse pas à lui. Près de lui elle est en dehors de sa présence. Elle dit : Tout à coup, dans le tissu de l'univers, à l'endroit de cette petite étendue de votre visage il s'est produit une faiblesse soudaine de la trame, mais à peine, à peine l'accroc d'un ongle dans un fil de soie. Elle dit que sa folie vient peut-être de ce que l'autre nuit, pendant qu'il dormait, elle avait perçu — en même temps que cette différence de destination entre ce visage et le tout de l'univers — l'identité du sort qui leur était réservé, à savoir qu'ils étaient emportés ensemble et broyés de la même façon par le mouvement du temps, cela jusqu'à la trame lisse de l'univers de nouveau obtenue.

Mais sans doute elle se trompe, elle ne sait plus de quoi elle parle quand elle parle de lui, de ce sentiment qu'elle a pour lui. La chose dont elle est sûre, c'est qu'il faut faire attention pendant les heures qui précèdent le lever du soleil, après les derniers passages, quand la nuit est noire.

Encore en pleine nuit, elle le réveille, elle dit qu'elle a oublié de lui dire, elle lui raconte : Elle connaît bien les bords de mer pour les avoir vus toute sa vie, elle connaissait cette chambre aussi, elle l'avait vue, c'était une maison fermée avec une fenêtre cassée. On disait qu'autrefois il y avait eu des femmes dans cette maison, que l'été elles étaient sur la terrasse avec les enfants. Mais elle, elle n'avait jamais vu les femmes et les enfants, du plus loin qu'elle se souvienne il n'y avait plus eu personne dans cette maison. Puis un jour il y avait eu de la lumière. Elle voulait lui dire ça depuis longtemps, elle avait oublié.

Il lui demande si c'était elle qui frappait à la porte certains soirs.

Peut-être, oui. Quelquefois elle le faisait avec

certaines maisons mais lorsqu'il y avait de la lumière et quand elle savait qu'elles étaient habitées par des hommes seuls.

Est-ce que c'était elle un soir de cet été-ci qui avait frappé à cette porte-là de la maison ? Il n'était pas allé ouvrir. Il n'ouvre pas quand il n'attend personne. Il coupe le téléphone et il n'ouvre pas. Est-ce que c'était une chose possible qu'elle soit venue cet été-ci ? Elle ne se souvient pas précisément être venue, maintenant qu'elle le connaît il lui semble qu'elle aurait dû le faire. Raisonnablement non, il aurait fallu qu'elle voie de la lumière à travers les vitres mais que sans lumière elle aurait pu le faire aussi quelquefois.

Il dit que parfois, quand il n'attend personne, il laisse la nuit venir dans la maison, il n'allume pas. Cela afin de savoir ce qui peut survenir dans une maison vide. Elle dit : Justement moi.

Elle ouvre les yeux, elle les referme, elle dit : Comme nous avons dormi tard.

De sa main elle caresse son visage puis la main retombe, pleine de sommeil. Ses yeux se referment.

Elle dit :

— J'étais cette nuit avec cet homme. Je l'ai

rejoint dans la chambre au-dessus du bar. Je lui ai demandé de faire avec moi comme nous, nous aurions fait si la mort n'avait pas pris notre esprit.

Dans la chambre, il s'est approché. Il s'allonge près d'elle. Elle tremble, elle parle avec difficulté. Chaque fois qu'elle s'arrête de parler elle pleure. Elle dit :

— J'ai demandé à cet homme de me laisser dormir près de lui pendant un moment assez long. Je lui ai demandé de faire certaines choses sur moi, mais que ce soit seulement pendant mon sommeil qu'il commence à les faire, mais à peine, à peine.

Elle répète :

— Je lui ai demandé de me dire les mots et de faire les choses que je lui dirais mais de les dire et de les faire très légèrement, très longuement, de telle façon que je ne sorte pas du sommeil. Je lui ai dit quelles choses, quels mots.

Je lui ai dit aussi de ne pas se préoccuper de savoir si, malgré son souci de ne pas me réveiller, je sors du sommeil. Parce que dans ce cas la privation serait si lente à se déclarer qu'il en aurait été comme d'une interminable et merveilleuse agonie.

Il a fait ce que je lui demandais. Lentement, longuement. Puis sa voix, tout à coup, je l'ai entendue, je me suis souvenue, sa main a brûlé ma peau. D'abord à peine, de façon espacée, puis continûment, sa main a mis mon corps en feu.

Il a dit que mes paupières tremblaient comme si mes yeux voulaient s'ouvrir sans en avoir la force. Et que de la profondeur de mon ventre était sortie une eau épaisse et trouble, chaude comme le sang. Que c'est alors que mes jambes s'étaient écartées pour le laisser venir lui au-dedans de cette profondeur que je m'étais réveillée. Que la pénétration jusqu'au fond de la profondeur, il l'avait faite très lentement pour arriver à l'atteindre sans défaillir. Qu'il criait de peur. Qu'il avait attendu très longtemps dans le fond de la profondeur que l'urgence se soit calmée. Elle dit :

— Je n'ai pas voulu attendre aussi longtemps que lui le désirait. Je lui ai demandé d'aller vite, et fort. Nous avons cessé de parler. La jouissance est arrivée du ciel, nous l'avons prise, elle nous a supprimés, elle nous a emportés pour toujours et puis elle s'est évanouie.

Dans la chambre, les corps sont retombés dans

142

la blancheur des draps. Les yeux fermés se sont scellés au visage.

Et puis ils se sont ouverts.

Et puis ils se sont encore refermés.

Tout était fait. Autour d'eux, la chambre détruite.

Ils étaient restés ainsi, les yeux fermés, longtemps, épouvantés.

D'abord ils s'étaient tenus à l'écart l'un de l'autre, et puis leurs mains s'étaient retrouvées dans le naufrage, tremblantes encore, et elles étaient restées l'une avec l'autre pendant la durée du sommeil.

Au réveil, encore une fois tous les deux en sanglots, le regard détourné vers le mur, la honte.

Longtemps ils étaient restés séparés l'un de l'autre à pleurer. Et puis sans pleurer ni bouger ils étaient restés là, également longtemps.

Et puis elle lui avait demandé si cette pénombre c'était le jour qui venait. Il lui avait dit que c'était sans doute le jour mais qu'à cette époque de l'année il était si lent à venir qu'on ne pouvait pas en être sûr.

Elle lui demande si c'est la dernière nuit.

Il dit que oui, que c'est possible que ce soit la dernière, il ne sait pas. Il lui rappelle qu'il ne sait jamais rien.

Il va sur la terrasse. Le jour est très sombre. Il reste là, il regarde. Il pleure.

Lorsqu'il revient dans la chambre, elle est assise, dressée, elle l'attend. Ils se regardent. Ils se désirent.

Elle lui dit qu'elle a peur d'être tuée comme une femme dans un hôtel de gare après la nuit de la séparation. Il lui dit qu'elle ne craint plus rien. Elle croit que l'idée lui en était venue lorsqu'il était allé sur la terrasse. Il confirme la chose. Il dit : Le temps d'un éblouissement, rien.

Elle pleure. Elle dit que c'est l'émotion de savoir ce besoin qu'il a eu tout le temps de leur histoire, de se souvenir que sur son seul vouloir son corps à elle aurait pu à jamais cesser de vivre auprès du sien dans la chambre.

Il dit que chaque nuit en effet cette idée lui était venue, mêlée à l'épouvante de la mer, à son inaccessible beauté.

Il lui parle du bateau.

Il dit qu'il a vu passer un bateau de plaisance là, très près, à cent mètres du bord. Les ponts étaient vides. La mer était comme un lac, le bateau avançait sur un lac. Une sorte de yacht. Blanc. Elle demande quand. Il ne sait plus, plusieurs nuits.

Elle n'a jamais vu de bateau sur cette plage. Mais pourquoi pas. Des gens perdus sans doute, dans la brume — il y en a toujours en haute mer en cette saison — et qui sont allés vers les lumières des grands hôtels des stations.

Il était resté sur la plage jusqu'à la disparition du bateau dans le chenal. Le bruit ralenti du moteur avait pénétré son cœur d'une façon qu'il ne connaissait pas encore. Il croit que le désir du jeune étranger aux yeux bleus cheveux noirs s'était fait jour en lui une dernière fois à ce moment-là, lorsque le bateau s'était éloigné de la plage. Il avait dû tomber dans le sable lorsque le bateau avait disparu.

Lorsqu'il s'était réveillé, bien après la disparition du bateau, une houle était arrivée jusqu'au mur de la maison, elle était retombée à ses pieds comme pour l'éviter, frangée de blanc, vivante, telle une écriture. Il l'avait prise comme une réponse qu'on lui aurait faite à partir du bateau. Celle de ne plus attendre le jeune étranger aux yeux bleus, que jamais il ne reviendrait sur les plages de la France.

C'est à ce moment-là de la mer fluviale qu'il avait eu envie d'aimer. D'aimer de désir fou comme dans le seul baiser qu'ils s'étaient donnés. Et que le souvenir de sa peau, de ses yeux, de ses seins, de la totalité des choses de son corps, de son parfum, de ses mains lui était revenu.

Il était resté dans cet état de la désirer pendant plusieurs jours, plusieurs nuits.

Et puis cet amour était revenu — comme le souvenir du baiser — celui qui avait été le sang de sa vie, celui qui lui avait fait peur ce soir d'été lorsqu'ils s'étaient rencontrés dans ce café au bord de la mer.

Elle dit que c'était cet amour, celui pleuré par eux deux ce soir-là, qui était leur véritable fidélité à l'un l'autre, cela au-delà de leur histoire présente et de celles à venir dans leurs vies.

Il lui dit qu'un seul et même jeune étranger était cause de leur désespoir ce soir-là au bord de la mer.

Elle se souvient qu'il lui a souvent parlé d'un

jeune étranger aux yeux bleus cheveux noirs mais qu'elle, elle n'avait jamais pensé qu'il s'agissait de celui qu'elle avait aimé.

Elle se souvient mieux des chagrins mortels dont il parlait, ceux qui le visitaient chaque été jusqu'à l'anéantir, ceux qui étaient abstraits et sans suite aucune jamais.

Il dit qu'il se trompe toujours d'histoire mais qu'en raison de leur rencontre dans ce café le souvenir du jeune étranger lui avait paru être préservé de l'erreur.

Elle dit que non, qu'il leur est impossible de savoir ce qui s'était passé, qu'ils étaient comme dans les crimes les témoins qui avaient oublié de regarder.

La seule preuve aurait été que lui la reconnaisse, elle, comme étant la femme du hall. Auquel cas ils ne se seraient pas connus ce soir-là, dans ce café au bord de la mer.

Il est allé boire de l'alcool dans la maison fermée. Il le fait quelquefois et à elle cela est égal. Il voudrait être sûr de l'existence de ce bateau blanc. Cette nuit il le confond avec un autre souvenir, avec un lieu pareillement fermé. Il dit : Avec le hall d'un hôtel au bord de la mer.

Elle dit : Le bateau a existé. On en a parlé dans la ville. Il venait du Havre. Il avait été emporté par le reflux jusqu'en pleine mer et il avait dû revenir vers les lumières de la côte. C'était un yacht de taille moyenne, de nationalité grecque. D'autres gens que lui l'avaient vu qui avaient dit qu'il n'y avait à bord que l'équipage.

Elle demande si lui il avait vu des passagers sur ce bateau.

Il n'en est pas sûr mais, quand le bateau avait tourné, il croit, oui, avoir vu un homme et une femme accoudés au bastingage, le temps de fumer une cigarette sans doute et d'admirer la longue chaîne des casinos éclairés le long des plages. Mais qu'ils devaient déjà être redescendus dans les cabines quand le bateau était reparti vers le chenal — il ne les avait pas revus.

Il s'allonge près d'elle. Ils sont dans un bonheur qu'ils n'ont jamais connu, si profond, ils en sont effrayés.

Il lui dit qu'il s'est trompé, que ce n'est pas le jour qui se lève, que c'est le crépuscule, qu'ils vont vers une nouvelle nuit, qu'il faudra attendre toute sa durée pour atteindre le jour, qu'ils se sont trompés sur le passage des heures. Elle lui demande la couleur de la mer. Il ne sait plus.

Il l'entend qui pleure. Il lui demande de quoi elle pleure. Il n'attend pas sa réponse. Il lui demande quelle devrait être la couleur de la mer. Elle dit que la mer prend sa couleur de celle du ciel — qu'il s'agit moins d'une couleur que d'un état de la lumière.

Elle dit qu'ils ont peut-être commencé à mourir.

Il dit ne rien savoir sur la mort, qu'il est un homme qui ne sait pas lorsqu'il a aimé, lorsqu'il aime, lorsqu'il meurt. Dans sa voix il y a encore des cris, mais au loin, pleurés.

Il lui dit cependant que lui aussi, maintenant, il croit qu'il doit s'agir entre eux de ce qu'elle disait dans les premiers jours de leur histoire. Elle se cache le visage contre le sol, elle pleure.

C'est la dernière nuit, dit l'acteur.

Les spectateurs s'immobilisent et regardent dans la direction du silence, celle des héros. L'acteur les désigne du regard. Les héros sont encore exposés dans la lumière intense du bord de la rivière. Ils sont allongés face à la salle. On les dirait anéantis par le silence.

Ils regardent vers la salle, le dehors, la lecture, la mer. Leur regard est effrayé, douloureux, toujours coupable d'avoir été l'objet de l'attention générale, celle des acteurs sur la scène et celle des spectateurs dans la salle.

La dernière nuit, annonce l'acteur.

Ils sont face à la salle, rapprochés et lointains, prêts à disparaître de toute histoire humaine. Ce sera non la baisse de la lumière mais la voix de l'acteur isolé qui provoquera l'immobilité des autres acteurs, l'arrêt de leurs mouvements, leur écoute obligée, infernale, du dernier silence.

Ce soir-là de la sixième nuit, son regard à lui se serait détourné du sien, et elle, dès son approche, elle se serait recouverte des draps blancs.

Une dernière phrase, dit l'acteur, aurait peut-être été dite avant le silence. Elle aurait été censée avoir été dite par elle, pour lui, pendant la dernière nuit de leur amour. Elle aurait eu trait à l'émotion que l'on éprouve parfois à reconnaître ce que l'on ne connaît pas encore, à l'empêchement dans lequel on est de ne pas pouvoir exprimer cet empêchement à cause de la disproportion des mots, de leur maigreur, devant l'énormité de la douleur.

Au fond du théâtre, dit l'acteur, il y aurait eu un mur de couleur bleue. Ce mur fermait la scène. Il était massif, exposé au couchant, face à la mer. A l'origine, il se serait agi d'un fort allemand abandonné. Ce mur était défini comme étant indestructible, bien qu'il soit battu par le vent de la mer, jour et nuit, et qu'il subisse de plein fouet les tempêtes les plus fortes.

L'acteur dit que ç'avait été autour de l'idée de ce mur et de la mer que le théâtre avait été construit, afin que la rumeur de la mer, proche ou lointaine, soit toujours présente dans le théâtre. Par temps calme, elle était assourdie par l'épaisseur du mur, mais toujours là, au rythme calme de la mer. On ne se trompait jamais sur sa nature. Quand les tempêtes étaient fortes, certaines nuits, on entendait clairement l'assaut des vagues contre le mur de la chambre et leur déferlement à travers les paroles.

ŒUVRES DE MARGUERITE DURAS

LES IMPUDENTS (1943, *roman,* Plon).

LA VIE TRANQUILLE (1944, *roman,* Gallimard).

UN BARRAGE CONTRE LE PACIFIQUE (1950, *roman,* Gallimard).

LE MARIN DE GIBRALTAR (1952, *roman,* Gallimard).

LES PETITS CHEVAUX DE TARQUINIA (1953, *roman,* Gallimard).

DES JOURNÉES ENTIÈRES DANS LES ARBRES, *suivi de :* LE BOA —
    MADAME DODIN — LES CHANTIERS (1954, *récits,* Gallimard).

LE SQUARE (1955, *roman,* Gallimard).

MODERATO CANTABILE (1958, *roman,* Editions de Minuit).

LES VIADUCS DE LA SEINE-ET-OISE (1959, *théâtre,* Gallimard).

DIX HEURES ET DEMIE DU SOIR EN ÉTÉ (1960, *roman,* Gallimard).

HIROSHIMA MON AMOUR (1960, *scénario et dialogues,* Gallimard).

UNE AUSSI LONGUE ABSENCE (1961, *scénario et dialogues,* en
    collaboration avec Gérard Jarlot, Gallimard).

L'APRÈS-MIDI DE MONSIEUR ANDESMAS (1962, *récit,* Gallimard).

LE RAVISSEMENT DE LOL V. STEIN (1964, *roman,* Gallimard).

THÉATRE I : LES EAUX ET FORÊTS — LE SQUARE — LA MUSICA (1965,
    Gallimard).

LE VICE-CONSUL (1965, *roman,* Gallimard).

LA MUSICA (1966, *film,* co-réalisé par Paul Seban, distr. Artistes
    Associés).

L'AMANTE ANGLAISE (1967, *roman,* Gallimard).

L'AMANTE ANGLAISE (1968, *théâtre,* Cahiers du Théâtre national
    populaire).

THÉATRE II : SUZANNA ANDLER — DES JOURNÉES ENTIÈRES DANS LES

ARBRES — YES, PEUT-ÊTRE — LE SHAGA — UN HOMME EST VENU ME VOIR (1968, Gallimard).

DÉTRUIRE, DIT-ELLE (1969, Editions de Minuit).

DÉTRUIRE, DIT-ELLE (1969, *film,* distr. Benoît-Jacob).

ABAHN, SABANA, DAVID (1970, Gallimard).

L'AMOUR (1971, Gallimard).

JAUNE LE SOLEIL (1971, *film,* distr. Films Molière).

INDIA SONG (1973, *texte, théâtre,* Gallimard).

LA FEMME DU GANGE (1973, *film,* distr. Benoît-Jacob).

NATHALIE GRANGER, *suivi de* LA FEMME DU GANGE (1973, Galli-mard).

LES PARLEUSES (1974, *entretiens avec Xavière Gauthier,* Editions de Minuit).

INDIA SONG (1975, *film,* distr. Films Armorial).

BAXTER, VERA BAXTER (1976, *film,* distr. N.E.F. Diffusion).

SON NOM DE VENISE DANS CALCUTTA DÉSERT (1976, *film,* distr. Benoît-Jacob).

DES JOURNÉES ENTIÈRES DANS LES ARBRES (1976, *film,* distr. Benoît-Jacob).

LE CAMION (1977, *film,* distr. D.D. Prod.).

LE CAMION, *suivi de* ENTRETIEN AVEC MICHELLE PORTE (1977, Editions de Minuit).

LES LIEUX DE MARGUERITE DURAS (1977, *en collaboration avec Michelle Porte,* Editions de Minuit).

L'EDEN CINÉMA (1977, *théâtre,* Mercure de France).

LE NAVIRE NIGHT (1978, *film,* Films du Losange).

LE NAVIRE NIGHT, *suivi de* CÉSARÉE, LES MAINS NÉGATIVES, AURÉLIA STEINER, AURÉLIA STEINER, AURÉLIA STEINER (1979, Mercure de France).

CÉSARÉE (1979, *film,* Films du Losange).

LES MAINS NÉGATIVES (1979, *film,* Films du Losange).

AURÉLIA STEINER, *dit* AURÉLIA MELBOURNE (1979, *film,* Films Paris-Audiovisuels).

155

AURÉLIA STEINER, *dit* AURÉLIA VANCOUVER (1979, *film,* Films du Losange).

VÉRA BAXTER OU LES PLAGES DE L'ATLANTIQUE (1980, Albatros).

L'HOMME ASSIS DANS LE COULOIR (1980, *récit,* Editions de Minuit).

L'ÉTÉ 80 (1980, Editions de Minuit).

LES YEUX VERTS (1980, Cahiers du cinéma).

AGATHA (1981, Editions de Minuit).

AGATHA ET LES LECTURES ILLIMITÉES (1981, *film,* prod. Berthemont).

OUTSIDE (1981, Albin Michel, rééd. P.O.L, 1984).

LA JEUNE FILLE ET L'ENFANT (1981, *cassette,* Des Femmes éd. Adaptation de L'ÉTÉ 80 par Yann Andréa, lue par Marguerite Duras.

DIALOGUE DE ROME (1982, *film,* prod. Coop. Longa Gittata. Rome).

L'HOMME ATLANTIQUE (1981, *film,* prod. Berthemont).

L'HOMME ATLANTIQUE (1982, *récit,* Editions de Minuit).

SAVANNAH BAY (1er éd. 1982, 2e éd. augmentée, 1983, Editions de Minuit).

LA MALADIE DE LA MORT (1982, *récit,* Editions de Minuit).

THÉATRE III : LA BÊTE DANS LA JUNGLE, *d'après Henry James, adaptation de James Lord et Marguerite Duras* — LES PAPIERS D'ASPERN, *d'après Henry James, adaptation de Marguerite Duras et Robert Antelme* — LA DANSE DE MORT, *d'après August Strindberg, adaptation de Marguerite Duras* (1984, Gallimard).

L'AMANT (1984, Editions de Minuit).

LA DOULEUR (1985, P.O.L).

LA MUSICA DEUXIÈME (1985, Gallimard).

LA MOUETTE DE TCHÉKOV (1985, Gallimard).

LES ENFANTS, *avec Jean Mascolo et Jean-Marc Turine* (1985, *film*).

CET OUVRAGE A ÉTÉ ACHEVÉ D'IMPRIMER LE
VINGT OCTOBRE MIL NEUF CENT QUATRE-
VINGT-SIX DANS LES ATELIERS DE NORMANDIE
IMPRESSION S.A. À ALENÇON ET INSCRIT DANS
LES REGISTRES DE L'ÉDITEUR SOUS LE NU-
MÉRO 2100

Dépôt légal : octobre 1986